EDAF

MADRID - MÉXICO - BUENOS AIRES - SAN JUAN

MICHAEL

Cómo encontrar a su
Alma Gemela

Halle su pareja espiritual
para una vida más feliz

LA TABLA DE ESMERALDA

Título del original inglés:
FINDING YOUR SOUL MATE

© De la traducción: A. CARLOS GÓMEZ
© 1994. Russ Michael.
© 1995. De esta edición, Editorial EDAF, S.A., por acuerdo con SAMUEL WEISER, Inc, Your Beach, Maine (USA).

Editorial EDAF, S. A. Jorge Juan, 30. 28001 Madrid
Dirección en Internet: http://www.edaf.net
Correo electrónico: edaf@edaf.net

Edaf y Morales, S. A.
Oriente, 180, n° 279. Colonia Moctezuma, 2da. Sec.
C. P. 15530. México, D. F.
Dirección en Internet: http://www.edaf-y-morales.com.mx
Correo electrónico: edaf@edaf-y-morales.com.mx

Edaf y Albatros, S. A.
San Martín, 969, 3.°, Oficina 5.
1004 - Buenos Aires, Argentina
Correo electrónico: edafal1@interar.com.ar

Edaf Antillas, Inc.
Av. J.T. Piñero, 1594 - Caparra Terrace (00921-1413)
San Juan, Puerto Rico
Correo electrónico: forza@coqui.net

7.ª edición, noviembre 2001

Depósito legal: M. 47.606-2001
ISBN: 84-7640-922-2

PRINTED IN SPAIN   IMPRESO EN ESPAÑA

Gráficas COFAS, S.A. - Pol. Ind. Prado de Regordoño (Madrid)

¡Dedicado a todas las almas gemelas en nuestro universo magnético y eléctrico! Y a mi María.

Capullos gemelos de vida

I

In crescendo una única nota,
   suena un medio tono…
Revolotea el eco en el espacio
   y ahora regresa
   siempre con el mismo ritmo.

II

Dos vidas florecen,
   dos capullos se tocan los corazones,
     una corriente dual de puro amor
      asciende y se funde
      con el punto brillante
      del fuego suspendido.

Puntos gemelos se funden y flamean
   en un mayor brillo.
   Una luz blanca más clara se enciende
     para alumbrar el camino dual.

Se funde un sendero dorado...
   misteriosamente, se convierte en nosotros.
Se marchitan dos mitades individuales
   para convertirse en una totalidad redoblada.
Solos, aunque ambos casados
   con otra más elevada,
   más reveladora altiplanicie.

Índice

Prólogo

Lo más importante para mí no es cuántos libros he vendido y cuánto dinero he ganado, sino más bien ofrecerle el regalo más válido que tengo a usted, lector/a, a cambio del valioso dinero y tiempo que usted da al comprar y leer este libro. Esto demuestra la ley del equilibrio entre nosotros y hace que el intercambio sea equitativo.

¿Por qué una edición ampliada, revisada y puesta al día?

Varios factores han influido en esta decisión. El más importante es que ahora poseo un dominio de «la ciencia de las verdaderas parejas» que no era conocida conscientemente por mí cuando fue publicada la primera edición de *Cómo encontrar a su alma gemela*. Otra razón que ha influido ha sido la amplia contribución pública a este tema de mi amigo Jess Stearn en su maravilloso libro, éxito de ventas, *Soulmates* publicado por Bantam Books*.

Durante quince años, mi propio libro, *Cómo encontrar a su alma gemela*, ha sido un éxito de ventas en casi todas las librerías, iglesias o establecimientos metafísicos que lo han tenido. Hasta la fecha, de este título se han vendido casi setenta mil ejemplares, sin la ayuda de ninguna importante cadena de librerías o distribuidoras. Durante la mayor parte de estos quince años pasados, *Cómo encontrar a su alma gemela* ha sido el único trabajo importante publicado que ha tocado este oportuno tema de las parejas del alma. Parece asombroso, cuando se considera que este tema candente está casi constantemente en las mentes de

---

* Jess Stearn, *Soulmates* (Nueva York, Bantam Books, 1985).

millones y millones de personas solteras o casadas. Afortunadamente, después de leer y utilizar las fáciles técnicas de cómo hacerlo en mi libro, miles y miles de hombres y mujeres felices y agradecidos se han centrado en ellas y han atraído a sus propias personas especiales «amadas» a sus vidas.

Hasta hoy día, durante todos estos años, decenas de maestros y de conferenciantes emprendedores han seguido las líneas expuestas en mi libro para dar clases y seminarios que utilizan estas técnicas comprobadas de atraer las parejas del alma a sus vidas. Todos estos maestros tienen mi aliento caluroso para difundir esta maravillosa revelación sobre las relaciones amorosas que son tan especiales. Todo el mundo merece una magnífica y divina vida de amor, ¡que llega cuando se conoce el amor y se devuelve! Yo sé que lo merezco y, sin duda, espero que usted también la merezca. Si no, ¡es el momento de cambiar su propia imagen!

En silencio, doy gracias cuando cada vez mayor número de maestros despiertos e iluminados citan «la ciencia de las verdaderas parejas» a sus estudiantes. Poco a poco, durante las dos últimas décadas, he desarrollado el concepto de parejas del alma y he visto que ha llegado a ser no sólo aceptado, sino también muy popular.

Una vez más, lo que es asombroso durante todos estos años, a pesar del hecho de que los principales editores de libros eran ciegos y simplemente ignorantes de la necesidad de un buen libro sobre este tema, yo continué vendiendo y reimprimiendo esta obra. Únicamente vendí ejemplares de *Cómo encontrar a su alma gemela* en mis conferencias o seminarios, por correspondencia, y por medio de selectas librerías de cualidad, aunque sólo unas cuantas a través del país. Este libro tan necesitado se ha vendido en todo el país fundamentalmente de boca a oreja cuando un lector le hablaba a otro de él. Espero que usted haga lo mismo.

Poco después de que Jess Stearn compilase y publicase su maravilloso libro sobre este tema, decidí seguir mis propios planes para revisar y poner al día este libro. Ha cambiado considerablemente. La ciencia es ahora exacta. También ¡yo he evolucionado durante estos maravillosos años!

Agradezco sin duda y honro a Jess Stearn de diferentes maneras. Su libro, *Soulmates*, destaca decenas de relaciones de parejas del alma entre prominentes figuras del escenario nacional, personas como Shirley MacLaine, Richard Burton, Elizabeth Taylor, Susan Strasberg, Jeff y J. Z. Knight, Patrick y Gael Flanagan, y muchos otros. Incluso tuve el honor y el placer de celebrar la ceremonia de boda de Patrick y Gael.

Jess habla de Dick Sutphen y su querida pareja del alma, Tara, que también se cuenta entre mis amigas. No es necesario decir que Jess añadió una gran credibilidad a este tema, cuando predijo, mientras me pedía información para su libro, que éste haría que mi propio libro vendiese más ejemplares, ¡predicción que ahora se está cumpliendo!

En un último tributo a Jess, él me animó, sin saberlo, a seguir adelante y a revisar esta edición. Lo hizo totalmente de una manera inocente. Jess estaba reuniendo información para su libro y después de una larga entrevista de sobremesa conmigo en el Hotel Hilton de San Diego, Jess escribió que yo pensaba que «la persona tiene que programarse a sí misma rígidamente, en el plano físico, mental y visual».

¡Yo quedé muy sorprendido cuando leí esto! Me di cuenta de que incluso aunque mis técnicas habían sido altamente satisfactorias para muchos lectores de mi libro, a un investigador universitario y sofisticado como Jess Stearn le parecían «rígidas».

Mi imagen de mí mismo hasta ese momento era que mis pensamientos y mis ideas eran extremamente abiertas y flexibles. Mi orgullo sufrió un duro golpe y lo necesitaba. Inmediatamente caí en la cuenta de que el perspicaz Jess tenía probablemente razón. En el acto, me puse a evaluar de nuevo mi manera de pensar y de enseñar, pues si era «rígida», era mejor que la ajustase. Tal vez, necesitaba conocerme y expresarme de una manera más fluida y abierta. Mis conocimientos, mis pensamientos y mis sentimientos han evolucionado gradualmente a lo largo de los años, y ahora veo esta ciencia bajo una nueva luz. Con esta humilde disposición, intentaré presentar este querido tema de las parejas del alma de la manera más simple y flexible posible. Verdaderamente quiero proporcionarle la inspiración para conocer y atraer a su propia pareja del alma a su vida. Siéntase libre de escribirme a la dirección de este editor. Los quiero y los bendigo a todos.

MICHAEL

Introducción

En este libro, presento el concepto de cómo encontrar su pareja del alma en dos niveles. Para empezar, relaciono el emparejamiento de las almas con el Universo Magnético, esa mitad de toda la creación que se halla detrás del mundo visible en movimiento de los efectos. Éste es el mundo silencioso de la causa y la razón por la que todas las cosas, todas las formas de vida, están eternamente conectadas a todas las demás cosas y a todas las demás formas de vida. Es el *porqué* científico de que las parejas del alma se atraigan unas a otras, ya que «lo semejante busca lo semejante» de manera natural. Científicamente, se trata del universo indiviso sin principio ni fin, que únicamente es posible porque también vivimos en un Universo Eléctrico.

En segundo lugar, expongo cómo las parejas del alma se manifiestan en el Universo Eléctrico, a través del cual nos relacionamos con la naturaleza visible, con nuestro mundo tridimensional de dualidad. Este mundo está compuesto por una auténtica polaridad sexual femenina o masculina, centrada en cada forma pequeña o grande —sea mineral, vegetal, animal o humana—. Todo en este aparente universo formado, sea visible o invisible, es de naturaleza puramente eléctrica. Todas las acciones y reacciones sexuales son simplemente ondas eléctricas aparentemente en movimiento, que crean una plataforma o escenario para que se desarrolle el drama de las infinitas formas de vida. El término científico totalmente correcto para describir esta extensión de la Luz Una es el universo dividido y multiplicado, puesto que se necesita la división y la multiplicación para mantener un universo absoluto de cero, a partir del cual se expanden para siempre las ideas y los pensamientos en forma de luz.

1

El don del amor

Existe siempre una conciencia interna de que existe la pareja del alma.
Así empieza entonces la búsqueda extática y divina.

¡El mayor don que uno puede dar a otra persona es el don inapreciable del verdadero amor! Este don no tiene nada que ver con objetos físicos, «hacer el amor» o las posesiones. Todos estos actos o formas materiales que se marchitan con rapidez, o que duran en apariencia, desaparecen de la vista y de la memoria humana.

Lo que dura para siempre, por otra parte, y que está impreso en el alma de manera indeleble, es el don divino y amoroso de sí a otra persona. Esto significa simplemente poner su atención y su tiempo, su sentimiento físico, su mente y su presencia cuando sea necesario en las personas amadas, la familia, los amigos, los compañeros de trabajo, los vecinos o en los totalmente extraños.

Lo que se da de sí mismo o de la propia sustancia ¡nunca queda perdido! Mientras que lo que se mantiene con apego, el tiempo lo aparta de uno inevitable y dolorosamente. Bajo esta perspectiva, el don de algo que se necesita mucho o de una sonrisa simplemente apreciada, un gesto de saludo, una palmada en la espalda, una palabra de ánimo, o «cosas» físicas como comida, casa, o un maravilloso ramo de flores *cuando se da con amor incondicional*, sin esperar nada a cambio, es un verdadero don de amor, ¡porque toda nuestra esencia está en ello! Hace felices, eleva y equilibra a todos los receptores.

No sólo es maravillosamente divino «donar» este amor auténticamente puro e incondicional a los demás, sino que también se debe aprender a «donarlo» libremente a uno mismo. La misma ley inmutable se aplica aquí. ¡Usted siempre recibe lo que da! Cuando se dona a sí mismo con amor significa que en ese momento tiene amor de sobra para devolver a los demás. El amor por uno mismo comienza con el respeto por uno mismo. Rinda honor y respeto a los demás e inmediatamente empezará a encontrar y a amar esas divinas cualidades en usted mismo. Cuando esas cualidades se conviertan en su principal manera de expresión, automáticamente dará a los demás esas grandes esencias simplemente con su luminosa presencia entre ellos.

Sé que está leyendo este libro porque está esperanzadamente ansioso de que se le dote con un amor divinamente grande, que puede entonces, por supuesto, devolver de manera divina a su pareja amada. Que muchas de estas ideas dadas con amor en este libro «prendan» en su alma y le inspiren un intenso deseo de encontrar su propia alma maravillosamente semejante y equilibradora. Que su propia vida y ser se *conviertan* en un don de amor.

2

Yo encontré una pareja

De repente, en alguna parte de este mundo, ¡apareció él o ella!
¡Qué alegría, qué paz, qué nuevo amor con resonancias del alma
y palpitar del corazón!

Si está decidido de verdad a que se manifieste un pareja del alma amorosa en su vida y está dispuesto a dar los pasos tan simples como el A-B-C para que esto se haga realidad, le guiaré con gusto hacia su deseo que ya conoce. Al otro lado de la grieta, su pareja del alma está exactamente tan ansiosa de mirar amorosamente a sus ojos, de tocar físicamente su mano y de compartir bellos sueños con usted, ¡como añora usted, todas estas cosas de ella! Personalmente conozco cómo es sentir la experiencia de estos divinos sentimientos, pensamientos e interacciones sensuales con la «chica de mis sueños». Hoy día amo a una pareja así y estoy casado con ella en pleno éxtasis.

Miles de mujeres y hombres que han leído anteriores ediciones de *Cómo encontrar su pareja del alma* también han encontrado a sus parejas del alma siguiendo las simples instrucciones comprobadas de cómo hacerlo, que se exponen en los siguientes capítulos. Yo encontré felizmente mi pareja del alma y usted también puede encontrarla. Disfrute ahora de este viaje mientras le llevo conmigo en un agradable paseo de retroceso en el tiempo.

Desde el principio, algunos maravillosos sueños sensuales hicieron el puente en el espacio distante entre esa pareja extraordinaria y yo mismo. Incluso la palabra «sueño» fue un vínculo vital de conexión que, de repente y de manera espectacular, nos fundió a los dos juntos. Quiero decir que, de vez en cuando, esta atractiva mujer y yo nos encontramos juntos de manera inconsciente en sueños durante nuestras horas normales de sueño. Esos sueños misteriosos maravillosamente inspiradores empezaron aproximadamente hace dos años, antes de que nos encontrásemos físicamente.

Cuando pienso en aquella época, no recuerdo con precisión cuándo empezamos por primera vez a encontrarnos juntos en sueños. Durante un periodo de meses, poco a poco me di cuenta de que estaba soñando constantemente con la misma hermosa chica. Había algo vagamente familiar en ella. Por mucho que lo intentase, no podía descubrir cuál era esa sensación de familiaridad. Después de mucho cavilar, me quedé con la razonable idea de que estaba soñando simplemente en mi amor perdido del pasado, llamado Bonnie. Pero al final caí en la cuenta de que había muchos aspectos muy diferentes en esta chica de los sueños. El tono, o el aura, era diferente. Al fin de cuentas, no podía ser Bonnie. Consciente o inconscientemente, continué sin embargo teniendo muchos más sueños sensuales y llenos de amor con mi dulce amante de los sueños.

Algunos de estos sueños sobre mi pareja del alma eran bastante ordinarios, salvo en el hecho de que después de cada uno de ellos siempre me sentía maravillosamente inspirado cuando me despertaba. En otras ocasiones, nuestro cortejo en los sueños era exquisito. Los sueños eran románticos, apasionados, ¡y podía recordarlos más que ningún otro sueño! Por la mañana, me despertaba con un vigor tan reforzado y con tanta vitalidad que el sentimiento duraba todo el día. Había ocasiones en las que la cálida y suave aura de mis encuentros de sueño extático impregnaban mi mente consciente y permanecían en ella muchos días después.

Repentinamente, un día tuve como un rayo de luz de lo único y fantástico que era para mí soñar con esa chica fascinante. Algunos de los recuerdos de amor que habíamos disfrutado juntos en mis sueños solían reproducirse al día siguiente.

Todos esos sueños eran espontáneos, hasta que una tarde de inspiración decidí hacer un experimento metafísico. Acababa de leer un libro inspirador de autosugestión. Antes de caer dormido, siguiendo las sugerencias del libro, me dediqué a autoprogramar a propósito el sueño sobre la chica esa noche. Calculé que si la autosugestión funcionaba realmente, podría entonces aumentar y disfrutar a voluntad la frecuencia de las sesiones de amor nocturno con mi amante en sueños. Antes de quedar dormido, me hice la siguiente sugestión pronunciada en palabras con un sentimiento apasionado: «¡Esta noche, voy a soñar de nuevo con mi chica de los sueños!»

No sucedió nada la primera noche, ni la segunda. La persistencia es una de mis características voluntariamente desarrollada, así que continué haciendo exactamente la misma sugestión hablada cada noche justo antes de dormirme. ¡*Bingo*! ¡A la cuarta noche consecutiva funcionó! En algún momento antes del alba me encontré profundamente sumergido en una relación romántica larga y vívida en sueños con ella. Al levantarme por la mañana, lo primero que hice fue felicitarme y resolví hacerlo cada noche. El día pasó lleno de recuerdos dulces de mi sueño. Llegó la hora de acostarme, me di la misma sugestión memorizada, sabiendo que funcionaría, y funcionó. ¡Desde ese momento supe que había encontrado la llave mágica para tener una relación romántica a medianoche a voluntad! Por supuesto, hacia la medianoche o un poco después, ambos estábamos amorosamente entregados uno en los brazos del otro.

Varias veces a la semana me «programé» con éxito para «soñar un pequeño sueño» sobre mi chica misteriosa. Fue un arreglo realmente fantástico en lo que a mí respecta. Mi amante de los sueños estaba virtualmente «a mi disposición». Durante los meses siguientes, me hice cada vez más experto en evocarla en mis sueños. Cuando quería, mis sueños se convertían en una fuente asegurada de alegría y de satisfacción sensual. Cuando miro ahora hacia atrás, recuerdo cómo deseaba irme a dormir y soñar durante esa fase de mi existencia. Hasta hoy día, muchos años después, todavía disfruto yéndome a dormir y aventurándome en el mundo de los sueños, aunque no ya con una amante de sueños, puesto que actualmente estoy físicamente con mi verdadera pareja.

Poco podía imaginar por entonces que mi pareja de los sueños se materializaría literalmente y que estaría al alcance de mi mano en medio año. Fue casi exactamente seis meses después cuando encontré a Pam realmente. Esto es lo que contribuyó a encontrarme con ella. Mi hermano mayor, Richard, había muerto repentinamente de un ataque al corazón. Pocos días después de su muerte, me las arreglé para utilizar la sugestión a fin de encontrarlo en un sueño. El siguiente sueño fue la llave de conexión con mi pareja de los sueños. Fue incluso más extraordinario que todos mis anteriores sueños, porque aquella noche deliberadamente sugerí y produje un encuentro real cara a cara de mi alma y de mi espíritu con su alma y su espíritu, en un sueño de lo más vívido, brillante y satisfactorio.

Mi familia había enterrado con gran duelo el cuerpo de mi hermano en Michigan, a más de 1.500 kilómetros de distancia. Yo vivía en Virginia Beach, y no había asistido al funeral, no a causa de la distancia, sino porque ya sabía que *no existe la muerte*. Aquella noche, antes de dormirme, me di tristemente cuenta de que Richard y yo no nos habíamos visto ni hablado durante varios años. Su muerte realmente inesperada supuso un terrible choque para mí, lo mismo que para su esposa y para su familia, para mis dos hermanos, mis dos hermanas y mi madre, y una gran cantidad de amigos. Me sentí auténticamente triste de que abandonase nuestro plano terrestre tridimensional, pero sabía que también estaba plenamente vivo. Había escogido y encontrado la libertad para sí mismo —la libertad de las limitaciones del cuerpo físico— simplemente cambiando de residencia de su cuerpo mortal a su cuerpo inmortal. Mi querido hermano Richard había llevado verdaderamente una vida modélica en la Tierra. Había sido muy amado y respetado por todo el mundo que le conocía. Tenía carácter, carisma y personalidad. Todos habíamos sido muy afortunados por haberle conocido. Lo único que sentía es que había muerto antes de haberle podido decir cuánto lo amaba y respetaba, y que había sido un modelo de hermano mayor para mí.

Con estos pensamientos, que iban y venían en mi mente, decidí espontáneamente utilizar mi técnica de sugestión de sueños, pero con una peculiaridad especial. Esta vez sugerí que mi conciencia, utilizando los sueños, saldría de mi cuerpo físico al plano del alma y del espíritu, donde sabía que mi hermano Richard moraba ahora. Incluso la pequeña autoformación que tenía en los «misterios» me había enseñado que la esencia real de mi hermano Richard estaba tan viva en los planos internos magnéticos del alma, como lo había estado cuando llevaba su vestido físico en nuestro mundo tridimensional. *«¡El reino de los cielos está dentro!»*

Con gran resolución, me concentré con todo el poder que pude reunir para construir ese fuerte sentimiento-deseo. En el mismo momento, me di conscientemente la sugestión de que, mediante el sueño, esa misma noche me levantaría y encontraría a Richard en el plano interno del alma. Me repetí esa orden una y otra vez mentalmente, hasta que caí exhausto en un profundo sueño.

En algún momento de la noche sucedió. Empezó a surgir y a tomar forma un vívido sueño como un registro en la conciencia de mi cerebro físico. Su recuerdo permaneció indeleblemente impreso en mi mente, tanto durante la experiencia como cuando me desperté.

En el sueño, mi chica de los sueños y yo estábamos sentados juntos como pasajeros en el asiento de atrás de un gran coche negro funerario. Una pareja extrañamente familiar se sentaba en el asiento delantero. El hombre que estaba al frente, que era el que estaba conduciendo el coche, se aproximaba cuidadosamente a lo que parecía ser una puerta abierta delante de nosotros, y todos supimos que ése era nuestro destino. Llegó a un stop y giró el coche lentamente hasta que lo puso en medio de la puerta abierta, dirigido hacia la salida. Detuvo el coche exactamente en el centro de la línea de la puerta y aparcó la parte delantera del coche en la que se sentaban el conductor y su compañera, fuera de la misma. La parte de atrás del vehículo, en donde nos sentábamos mi chica de los sueños y yo, quedaba dentro de la puerta. Mi chica de los sueños y yo estábamos suficientemente en el lado interior del umbral como para poder fácilmente abrir las puertas traseras del coche y salir, o podría más bien decir, «¡entrar!». Era una explicación perfectamente razonable de por qué el vehículo tenía que permanecer aparcado a mitad de camino, atravesado en el umbral de la puerta, además del hecho de que así no era posible quedar encerrados.

En aquella época no le presté mucha atención, puesto que los sueños tienen siempre su propio razonamiento. Pocos días después, cuando consideré este sueño, me di cuenta de que el coche era literalmente un símbolo de nuestros cuerpos físico y espiritual haciendo de puente entre dos mundos. Obviamente, la pareja familiar que se hallaba sentada al frente del coche estaba simplemente formada por nuestras propias formas tridimensionales, todavía conectadas a nuestros cuerpos y mentes terrestres de sueño.

En mi sueño, supe con una alegría creciente que había realizado mi muy deseada transición al mundo del alma y del espíritu. Estaba realmente visitando a Richard. Vi una luz que se aproximaba rápidamente y supe que la luz era Richard. Dejé a mi chica de los sueños en pie junto a la puerta y corrí rápidamente hacia la luz que se aproximaba. La luz se transformó en la forma humana física familiar de mi querido hermano, ¡que extendió sus brazos abiertos hacia mí! Nos besamos y abrazamos con alegría. ¡Oh, qué feliz reunión! Hablamos de los muchos «años terrestres» que habían pasado desde la última vez que nos habíamos visto. Hablamos y hablamos, compartiendo muchos recuerdos maravillosos en común. Dije a Richard que le quería enormemente y lo mucho que había apreciado el modelo de hermano que había sido para mí. Le dije que durante toda mi adolescencia había querido ser exactamente como él. ¡Dijimos todo lo que tenía que ser dicho!

De repente, me di cuenta que nuestro tiempo de estar juntos había llegado a su fin. También se dio cuenta Richard. Pero antes de que nos abrazásemos para la despedida final, Richard «manifestó» milagrosamente un puñado de frutos secos variados ante mis ojos. Me los ofreció con una sonrisa.

«Y ahora, respecto a tu salud, Michael», dijo, «pon atención en empezar a comer más frutos secos. Y tu sistema debería de tener más vitamina K. Pon a remojo algunos pedazos de manzana seca en agua y bébela como un tónico. ¡Te ayudará construir la salud que necesitas y quieres y a disfrutar de ella!»

Durante el sueño, observaba la manifestación repentina del milagro de los frutos. Sin embargo, como es comprensible, estaba impresionado por esa preocupación fraternal sobre mi salud, y me sentía complacido por la información, inesperada, pero altamente interesante. Se la agradecí a Richard y le di un beso final de despedida. Pude sentir al mismo tiempo su amor hacia mí. Me volví y me apresuré a regresar al automóvil que esperaba en la puerta y a mi chica de los sueños, que estaba pacientemente esperando allí por mí. Un sentimiento de profunda urgencia interna me dijo que había llegado el momento de salir de allí rápidamente. ¡Debo apresurarme!

Mi chica de los sueños también sintió este sentimiento de gran urgencia, y rápidamente abrió la puerta trasera cuando me acerqué, y nos introdujimos en el asiento de atrás juntos. Instantáneamente, la pareja familiar, que también esperaba en silencio y pacientemente en el asiento delantero, se puso en acción. El conductor puso la primera y suavemente dejamos atrás la puerta.

«¡Click!»

Cuando el automóvil dejó libre la puerta, éste se convirtió en una enorme, ancha y larga aeronave «de dos asientos», que se deslizaba por un cielo ligeramente iluminado como una alfombra mágica. La pareja que estaba sentada en el asiento delantero había desaparecido total-

mente de la vista. Solamente estábamos sentados mi chica de los sueños y yo, precariamente instalados en la aeronave que volaba a gran
altura. Me di cuenta de que mi chica de los sueños estaba sentada
directamente en el centro y controlaba los mandos de nuestra aeronave.
Yo estaba sentado ligeramente a su derecha, disfrutando de nuestro
viaje común en nuestra aeronave, que tenía una forma casi de cohete
espacial. ¡Era una visión excitante! Millones de estrellas brillantes pes-
tañeaban sobre nuestras cabezas. Abajo, a varios miles de metros,
grandes y lentas olas azules con capas de espuma blanca tomaban
repentinamente velocidad estrellándose salvajemente contra la costa
dorada, y después se enrollaban lentamente hacia atrás, surgiendo de
nuevo desde las profundidades. La amplia costa de arena se extendía
hasta el horizonte ante nuestros ojos. Sentí como si estuviésemos
volando muy alto por encima de las afueras de Virginia Beach, enca-
minándonos hacia el norte. Ambos sentíamos una gozosa alegría cuando el aire caliente y balsámico nos pasaba silbando sobre los rostros.
Miré a la chica de mis sueños y me pregunté si era capaz de controlar
el poder del fuerte viento. ¿Podría ella conducir nuestro veloz vehículo
volador con seguridad? También sentí, puesto que estaba sentado ligeramente desplazado del centro, que podría desequilibrar nuestra delica-
da aeronave. Fue un momento fugaz de preocupación el caer en la
cuenta de que podíamos caernos. Mi duda repentina fue sustituida instantáneamente por el profundo convencimiento de que ella era una
excelente conductora. No tenía ninguna necesidad de preocuparme en
lo más mínimo sobre su capacidad de controlar el equilibrio y el movimiento de nuestra nave. Simultáneamente, sentí un deseo irresistible de
acercarme, de acariciarla y de entregarme a la alegría de su presencia
física. A la velocidad del pensamiento, los dos estábamos abrazados al
unísono, flotábamos libremente en el aire hacia algún destino mutuo
que nos esperaba. Ambos irradiábamos felicidad con un profundo
«amor interior» y el exquisito placer de la compañía recíproca.

En ese estado, aparentemente lleno de amor eterno, me desperté
de este maravilloso sueño. Permanecí en la cama algunos minutos,
recordando y anotando mentalmente cada pequeño detalle a medida
que mi sueño desfilaba de nuevo por mi mente con toda claridad. Yo
estaba entusiasmado ante la maravilla y la prístina realidad de todo
esto. Todo mi ser se regocijaba de manera increíble, no sólo por haber
contactado con mi hermano Richard, pocos días después de haber

pasado a dimensiones más elevadas, sino también por compartir simultáneamente esa aventura con mi chica de los sueños, que, sin duda alguna, constituía ¡una maravillosa bonificación añadida!

A lo largo de todo el día siguiente consideré una y otra vez mi único sueño. ¿Era real? Sí. Sabía con toda seguridad que había atravesado «el velo» y que había tenido un encuentro con mi hermano Richard ¡*en espíritu*!

Surgió otra cuestión: ¿Qué era la vitamina K? ¡Yo nunca había oído hablar de ella! Según mis limitados conocimientos, la vitamina E era la última de las vitaminas en la lista alfabética. Parte por curiosidad, y parte para verificar la veracidad de lo que mi hermano me había comunicado, recurrí al diccionario para ver si podía encontrarla. Ciertamente, allí estaba: «Una de las dos vitaminas naturalmente liposolubles esenciales para la coagulación de la sangre.» Era evidente que mi sistema la necesitaba. Durante la infancia, con frecuencia me sangraba la nariz, sin golpe alguno ni causa aparente.

Seguí el consejo y empecé inmediatamente a comer un montón de frutos secos. También me tomé tiempo de poner a remojo en agua pedazos de manzana seca y a beber este zumo como un tónico. Sabía estupendamente y mi salud ha sido estupenda desde entonces. De alguna manera, el espíritu de mi hermano realmente sabía algo acerca de la química del cuerpo, el problema físico que yo había padecido y la cura natural y saludable.

Nunca me di cuenta aquel mismo día, pero seis meses más tarde, el recordar aquel increíble sueño abrió de par en par las puertas de la vida física real para que mi hermano pudiera entrar en ella.

Simultáneamente, al tener todas estas aventuras en sueños, cada vez estaba más ansioso de encontrar mi pareja del alma en la vida real, en el mundo físico. Ya no bastaban sólo los sueños. Mi empuje y resolución conscientes en esa dirección se acentuaron y fortalecieron cuando Mike, una conocida psíquica que vivía en Virginia Beach en aquella época, me dijo que la pareja que había deseado desde hacía tanto tiempo entraría en mi vida en los próximos seis meses. Yo tenía una gran confianza bien fundada y merecida en las capacidades psíquicas de Mike, así que, actuando en consecuencia, redoblé mi esfuerzo voluntario y consciente para materializar a mi pareja en mi vida en seis meses, tal como ella había predicho. Con mucho sentimiento, «bombardeaba» a mi pareja de sueños con silenciosas aunque potentes «emisiones».

«Mi amada, allí donde te encuentres, escucha, estoy en Virginia Beach, estado de Virginia, te espero aquí. ¡Por favor, acude rápido a mi lado!»

Poco a poco, pasaron los días, las semanas y los meses. Finalmente, llegó el sexto mes, a partir de la predicción. Era el mes de julio y todavía no había pareja del alma a la vista. Entonces, en el día predestinado, durante la segunda semana de julio, sonó mi teléfono. Lo descolgué, puse el auricular en mi oído y dije: «Diga.»

Una agradable voz de mujer dijo: «Quiero poner un anuncio en su periódico.»

Yo había fundado recientemente un periódico local llamado *The Virginia Beach Free Press*. Se trataba de un asunto literalmente de un solo hombre. Yo llevaba todos los departamentos; era el director, el mecanógrafo, el maquetista, el distribuidor y el comercial. De repente sentí un peculiar estremecimiento familiar. Sin embargo, haciendo ostentación de todo el tono profesional que pude, le pregunté qué clase de anuncio quería poner y de qué tamaño.

«Déjeme oír su anuncio», le expliqué. «De esta manera, podré ver cuántas palabras tiene y cuánto le costará.»

Me dijo que con mucho gusto, sabiendo aparentemente con toda exactitud lo que quería que se imprimiera.

«Un dibujo de sus sueños de 40 × 30 centímetros de 17 dólares. Eso es», dijo ella.

Yo no me lo podía creer. ¿La había oído correctamente? ¡¡Vaya especie de chica estúpida, gansa y patosa la que me había llamado!! Era difícil de creer. ¡Una chica que pintaba sueños! Recuperé mi aliento y sonreí. Una extraña excitación eléctrica bullía en cada átomo y célula de mi ser. Antiguos recuerdos parecían surgir en mi mente. Silenciosamente pensé para mí mismo: «Tengo que encontrar a esa chica. ¡Ella misma parece un sueño!»

En voz alta dije: «Es muy poco frecuente. ¡Así que usted pinta sueños! ¿Qué otra cosa hace? ¿Por casualidad es usted escritora?»

«¡Oh, sí!», dijo ella con gran regocijo. «Escribo sobre las cosas ocultas. Soy bailarina, me intereso por la música y por un montón de cosas.»

«¡Estupendo!», le respondí. «Parece usted una persona muy interesante. Me gustaría encontrarle en persona. ¿Le importaría traerme su anuncio a mi oficina?»

Le expliqué que llevaba el periódico desde mi casa. «El anuncio le costará la tarifa mínima de 2 dólares. Estaré trabajando aquí toda la tarde, ¿Puede usted venir?»

«Por supuesto. Déme su dirección. Estaré allí en un momento», dijo ella amablemente.

Antes de que transcurriesen veinte minutos, levanté la vista de mi trabajo para ver el rostro más familiar que nunca hubiera visto en mi vida.

«Hola, soy Pam, la chica que le ha llamado por el anuncio», dijo una voz musical y sonora que procedía de la resplandeciente aparición que estaba ante mí.

«¡Hola!», respondí. La miré profundamente a los ojos. «La conozco», dije, después de varios momentos de silencio. «¡Probablemente mejor de lo que usted misma se conoce!»

Pam me miraba a su vez profundamente a los ojos. Podría decir que estaba buscando en su mente intentando averiguar de qué estaba yo hablando. No había nada registrado. Aunque yo la había reconocido inmediatamente como mi pareja, Pam no pudo reconocerme como el amante de los sueños que ella había encontrado en sus sueños dos años antes. La «máscara de barro» que llevamos físicamente es muy diferente del bello contenido del espíritu que está en su interior. Sin embargo, la química funcionaba. ¡Había magia en el aire!

Pronto empezamos hablar animadamente entre nosotros, como almas perdidas reunidas después de haber partido hace tiempo. Pam me dijo que acababa de llegar esa tarde de Minnesota. Se había estado preparando para dejar Minnesota, ¡porque sabía que encontraría a su pareja del alma en Virginia Beach!

Una vez más, ¡apenas podía creer lo que veía! La miré directamente a los ojos y le dije con mi franca manera habitual: «Lo sé. ¡Soy tu pareja del alma!»

Una mirada de sorpresa atravesó el rostro de Pam. Me miró directamente a su vez durante un largo rato, y después movió bruscamente su cabeza en sentido negativo. Negaba el hecho con vehemencia.

«¡No!», dijo, «ya lo he encontrado. Corrí hacia él hace menos de una hora en la Fundación A.R.E. ¡Su nombre es Karl!»

Dejé de sonreír e intenté actuar como si no estuviera conmocionado. Su anuncio expresado como un hecho consumado de que pertenecía a otra persona me había sorprendido realmente. Sabía por propia experiencia y por haber observado a otros con qué facilidad nos engañamos. Intentamos crear una relación de pareja del alma de algo que no existe. Recordé que yo había intentado crear una relación así, para descubrir más adelante que todo había estado en mi mente. Yo había hablado con otras personas que habían hecho lo mismo. El libre albedrío nunca puede ser disminuido. Simplemente no es posible. Debe existir una semejanza magnética que atrae a dos personas a estar juntas y crea una interacción igual y equilibrada en un nivel físico entre las auténticas partes de una pareja. ¡No puede darse ninguna relación equitativa si no se da el «matrimonio en la conciencia»!

Con una voz controlada y sorprendentemente modulada, le expliqué cómo me había equivocado con ciertas mujeres que creí haber descubierto como parejas del alma. Continué diciéndole que conocía varias personas que habían hecho lo mismo ¡y que no había funcionado! Intenté convencerla de que todas esas clases de relaciones creadas sólo en la mente nunca funcionarían. Declaré con énfasis de nuevo que esta vez sabía con seguridad, más allá de toda duda, que ella era *mi* verdadera pareja del alma. Qué posesividad había allí. Le dije que ella lo sabría por sí misma cuando llegase el momento. Añadí, además, la predicción de que la burbuja de su repentino encuentro con Karl explotaría. Le dije que cualquiera que fuera el pensamiento que tuviese, era la ilusión que desaparecería cuando desapareciera el encanto del primer encuentro. Naturalmente, mi «chaparrón» respecto a su ilusoria pareja del alma, Karl, no dejó convencida a Pam. Sin embargo, podía ver que ella estaba atraída a permanecer conmigo y a hablarme. ¡Estaba funcionando alguna cierta forma de *magnetismo* interno!

Internamente, estaba maravillado de mi aplomo, y casi milagroso autocontrol. Ella era la realidad física de la amante de los sueños que yo había añorado y amado en sueños durante dos años. ¡Debía de estar saltando de alegría! Aunque ella no me reconocía, me sentía tranquilo y en paz sobre ese hecho. Una voz silenciosa interna que sabía me decía: *¡Todo va bien!*

El yo interno sabía que nuestras almas y nuestros espíritus divinos estaban bajo control, que nuestro amor se desarrollaría con seguridad a su debido tiempo siguiendo su curso natural. Ése fue un maravilloso momento que viví en el *Eterno Ahora*, ese punto tranquilo de descanso en el Universo Magnético en donde todas las cosas se ensanchan. ¡Lo importante es que ella era físicamente real y que ahora estaba aquí en mi vida! ¡Ese milagro de milagros era asombroso e inspirador! El hecho de que curiosamente me sintiera seguro y, de alguna manera, controlando plenamente la situación, considerando el hecho de que Karl estaba en la conciencia de Pam, era un misterio para mí.

Pam y yo hablamos durante varias horas. Había olvidado temporalmente mis tareas en el periódico. Nos revelamos mutuamente nuestras creencias y filosofías individuales. No fue una sorpresa para mí el que la mayoría de nuestras ideas y principios concordasen agradablemente. Cada momento que pasaba, estaba internamente más complacido por la profundidad y complejidad múltiple de la adorable chica de-mis-sueños que tenía sentada físicamente ante mí. ¡Supe sin ninguna sombra de duda que ella era mi verdadera pareja citada y esperada durante tanto tiempo!

Cuando Pam se levantó para irse, me incliné hacia delante para darle un caluroso beso de despedida. Con amabilidad, pero con firmeza, rechazó un contacto corporal tan íntimo. Al salir, se detuvo en la puerta, me miró un instante y me dijo que volvería pronto de nuevo.

«Aunque no seas mi pareja del alma», dijo con una sonrisa cálida y traviesa, «¡tienes sin duda una cara interesante!».

Le di las gracias con una sonrisa silenciosa. Cuando se marchó, me senté y me dije a mí mismo que había sido cuando menos un día extraordinario. Sonreí de nuevo, tal vez una pequeña fracción de la mente subconsciente de Pam estaba conectada a un recuerdo de que yo era el hombre que ella había encontrado con frecuencia en sus sueños. Durante unos minutos me quedé sentado tranquilamente, con un cálido estremecimiento y hormigueo de sorprendente y gozosa paz. ¡Mis sueños se habían literalmente realizado! Esa compañera de los sueños bella y sensual había llegado físicamente a mi vida. Era el mes de julio. Ella estaba a mi lado. Mike era sin duda una buena amiga, y también una psíquica con un enorme grado de exactitud en sus predicciones. Decidí telefonearle y comunicarle las buenas noticias. Quedó muy contenta de que su predicción hubiera sido exacta, y me deseó lo mejor en mi relación.

Antes de irme a dormir aquella noche, revisé de nuevo el día. Todo mi ser parecía sonreír ante este alegre pensamiento: «Pam pronto me reconocerá plenamente, como yo la he reconocido definitiva y plenamente a ella, cuando llegue el momento.»

Sentí que el momento estaba deliciosamente cercano. Con este magnífico pensamiento caí en un sueño pacífico y profundo.

Pocas noches después, Pam pasó de nuevo por mi casa y permaneció haciéndome una larga visita. Pasamos una noche divertida, simplemente sentados y hablando. Su encanto y belleza me cautivaban por completo. Pero, si yo hacía la más mínima insinuación para abrazarla o incluso para sostener su mano, ella permanecía siempre «en guardia» y hábilmente salía de la situación. En cada ocasión explicaba sonriente que sólo quería ser una buena amiga. Entonces, cuando yo estaba a punto de caer en un sentimiento de rechazo personal, cambió completamente de posición y mi espíritu se animó enormemente. De repente, admitió a lo largo de nuestra conversación que realmente disfrutaba de nuestros ratos de visita juntos y que volvería muy pronto. Fue una especie de velada agradable para conocerse. A medianoche se marchó. La acompañé hasta la puerta. Esta vez me tomó la mano y la estrechó ligeramente.

«Lo he pasado estupendamente», dijo, y se volvió para irse.

Sabiendo que la vería muy pronto de nuevo, fui directamente a la cama y dormí pacíficamente toda la noche.

Para mi agradable sorpresa, ella se presentó a la noche siguiente para hacer una corta, pero maravillosa visita. La frecuencia de sus visitas aumentó. En muy poco tiempo, Pam pasaba varias veces al día a las horas de trabajo para verme y también por las tardes. Nunca surgió de nuevo el tema de Karl por ninguna de las dos partes. Simplemente, yo actuaba como si Karl nunca hubiera existido.

Tuve que emplear mucha autodisciplina, pero tomé la muy sabia decisión de no hacerle más sugerencias amorosas deliberadas. El movimiento próximo le correspondía a ella. Yo razonaba pensando que la naturaleza seguiría su curso. Ya le llegaría en algún momento la iluminación interna, o el reconocimiento consciente de que yo era su pareja —¡y así ocurrió!

Incluso me sorprendió la manera en la que sucedió. Pam acababa de entrar en su coche después de una larga visita por la tarde. Pero se había olvidado de una cartera, así que rápidamente corrí hacia su coche, diciéndole que esperase. Mientras yo sonreía y le alargaba la cartera, ella me miraba fijamente como si estuviera en trance. De repente, se apartó de mí aterrorizada.

«¿Cómo hiciste eso?», gritó.

Yo la miraba fijamente, preguntándome de qué podría estar hablando.

«¿Cómo hiciste eso?», repitió, pidiéndome saber. Podía ver una mirada de puro terror en su rostro.

«¿Hacer qué?», pregunté perplejo. Estaba sorprendido de ver todo su cuerpo temblando de miedo y esperaba su respuesta intrigado.

«¡Eras tú y, sin embargo, no eras tú! ¡Tu rostro había cambiado! ¿Eras otra persona!», dijo. Su voz también era trémula. Vi que estaba en un estado de conmoción. Su cuerpo temblaba en ese momento de una forma incontrolada. De repente, me di cuenta de que Pam había tenido una percepción de otro tiempo, tal vez de otra vida que habíamos compartido en el pasado. Este pensamiento se reforzó cuando Pam habló de nuevo. Esta vez su voz era mucho más tranquila.

«Michael, tu cara era tan diferente, pero tan familiar. ¡Estoy segura que era el rostro de alguien que he conocido en otra vida!»

¡Qué alivio!

Me era difícil ocultar mi satisfacción. Podría decir que Pam todavía estaba un poco conmocionada y supe que tenía que tranquilizarla. Puse una mano consoladora en su hombro.

«Créeme, Pam», dije, «no fue nada que yo hiciera. Tú lo hiciste. Debes haber visto el rostro que yo tenía cuando estábamos juntos en otra vida».

Lentamente, Pam empezó a recuperarse. Dijo que era la experiencia más extraña de su vida y que nunca la olvidaría. Dio media vuelta al coche, se inclinó un poco por la ventanilla y me lanzó un beso y, con una mirada todavía perpleja y rara, se marchó lentamente.

En cuanto el coche desapareció por completo, salté literalmente un metro en el aire, con gran alegría. Pensé para mí: «Es evidente que Pam está a punto de saber quién *soy*, puesto que aparentemente recuerda quién *era* yo.

Esa noche, nada más llegar, Pam sugirió que fuésemos los dos a pasear tranquilamente juntos por una magnífica costa dorada. Cuando llegamos al borde de la costa, tomé su mano en la mía y esta vez ella no se resistió. Parecía que su conciencia y su cuerpo hormigueaban lo mismo que mi conciencia y mi cuerpo. Paseamos silenciosamente juntos durante algún tiempo. De repente, el mismo pensamiento surgió en ambas mentes y nos besamos mutuamente con una sonrisa. Reconocíamos la facilidad y la naturalidad de nuestro rítmico paso juntos, parecía como si hubiésemos caminado juntos, cogidos de la mano, muchas veces antes.

Mientras caminábamos perezosamente con un sólo pensamiento, llegamos al final del paseo, nos quitamos los zapatos y continuamos caminando descalzos sobre las arenas todavía agradablemente calientes. Miré arriba y agradecí la luna llena creciente en lo alto. Mi alma se conmovía dentro de mí y me sentía maravillosamente romántico. Un impulso repentino surgió dentro de mí para contarle a Pam los sueños únicos que había experimentado durante los dos últimos años con mi chica de los sueños.

Se animó con un repentino interés concentrado. Me miraba con una amplia sonrisa y grandes ojos, ¡animándome amablemente a contárselo todo! Aminoramos el paso, y en voz baja le conté cómo empezaron los sueños. Le expliqué cómo había aprendido a invocar estos sueños increíbles casi a voluntad, cada vez que necesitaba que uno de ellos me inspirase. Pam me escuchaba tranquilamente, sin decir nada, como si estuviera absorbiendo cada palabra. Cuando llegué al sueño sobre el encuentro con mi hermano Richard, inmediatamente después de su muerte, Pam repentinamente parecía colgada de cada palabra. Mientras le detallaba cuidadosamente este extraordinario sueño, me interrumpía de vez en cuando, y me pedía que le repitiese detalles específicos de algunas partes del sueño. Podía ver que estaba intensamente fascinada. Yo me demoraba contándole los más pequeños detalles de ese sueño, pero no tenía idea de lo que ella estaba pensando. Cuando le conté el exquisito amor que la chica de mis sueños y yo compartimos con tanto sentimiento juntos mientras nos elevábamos sobre la playa en nuestra aeronave, pude sentir cómo su mano apretaba la mía.

Desde la perspectiva de Pam, mientras escuchaba mis vivas descripciones de mis encuentros con la chica de mis sueños, se daba cuenta y recordaba con un asombro creciente ¡que ella había tenido los mismos vívidos sueños de nuestros encuentros juntos! Recordó los vastos sentimientos de éxtasis, y el gran amor sagrado que habíamos compartido juntos con tanta frecuencia y tanta felicidad en nuestras ensoñaciones.

Este choque repentino parecía casi demasiado para que su mente y su alma pudiera asimilarlo en ese momento. Posteriormente me explicó que para ella había sido un gran esfuerzo evitar que se le escapase impulsivamente el decirme que ella era mi amante en sueños. La otra parte conservadora de ella sentía que no se atrevía, que debía de mantener ese conocimiento dentro de ella como algo sagrado, lo más tranquilamente que pudiera durante un tiempo. Dijo que quería pensar acerca de ello, considerarlo en el silencio de su propio espíritu antes de poder compartir conmigo esas noticias asombrosas. Admitió que entonces ella supo también por qué había sentido tan fuerte familiaridad conmigo. Estaba contenta de que nuestro amor se hubiera desarrollado de manera tan natural entre los dos, ¡sin tan siquiera haber estado en la cama juntos! Pam sentía que si yo hubiera sabido que ella sabía que era mi pareja del alma o mi amante en sueños, como varón, le hubiera impulsado inmediatamente a tener una relación sexual física con ella.

Volvamos a mí. Aquel largo paseo y la charla pareció haber aportado el gran milagro que yo había estado esperando. Se había derrumbado el muro impenetrable que parecía separarnos a Pam y a mí. ¡Se había acercado cada vez más a mi espíritu, cuerpo y alma! En ese punto, yo no conocía el resto de la historia.

Aquella noche, cuando nos despedimos, Pam me dio un cálido beso y me invitó a ir a su apartamento el domingo por la noche a cenar. Acepté su invitación con gran alegría, prometiendo llevar la mejor botella de vino tinto que pudiera encontrar para esa ocasión. Cuando se fue, pude experimentar dentro de mí oleada tras oleada de felicidad y paz, más allá de toda comprensión. Aunque ella todavía no me había admitido, sentía que ella ya sabía que formábamos una pareja. A la noche siguiente, supe lo sabia que había sido mi intuición.

Pam y yo habíamos visto mucho el uno del otro —cada día durante varias semanas—. Cuando llegué a su casa después de recibir mi invitación para cenar con ella, tomé una decisión fuera de lo común. Quedaban tres días y tres noches para el domingo. Decidí apostar por conseguir que Pam quisiera realmente mi compañía aunque yo me pusiera difícil. Durante los dos días siguientes fingí estar demasiado ocupado para hacer visitas o para ser visitado. Esto funcionó.

¡Algo funcionaba! Pam no acudió a su visita diaria y el día parecía interminable; a media tarde yo casi no podía soportarlo. Todo mi ser sufría literalmente por estar con ella, por ver su rostro y tocarla físicamente. Me recordé a mí mismo que estaba jugando duro para conseguir algo, y empezó una enorme batalla interna entre mente y sentimientos. Fue una poderosa batalla. Cuanto más centraba mi mente en la aparentemente fría y clara lógica de mantenerme apartado de Pam, más hervían mis sentimientos y protestaban para verla inmediatamente. No pasó mucho tiempo antes de saber que mi deseo de estar con ella era mucho más fuerte y decidí rendirme a esos sentimientos amorosos. Lógica o ilógicamente, ¡mi alma y mi espíritu sabían que una experiencia de puro amor era mil veces más importante que ninguna teoría fría, por indiscutible que fuera, de cómo conseguirlo para más adelante!

Seguí rápidamente los impulsos palpitantes de mi corazón y de inmediato me vi en mi coche conduciendo directamente hacia su piso. Pam reaccionó sorprendida, pero también mostró un gran placer ante mi inesperada visita. Durante todo el día, su alma había estado procesando el nuevo conocimiento acerca de nuestra relación. Estaba preguntándose la mejor manera de decírmelo.

Después de sentarnos para hablar, Pam me dijo que había estado realmente sentada todo el día añorando verme. Éste es un claro ejemplo de cómo la misma poderosa llama del deseo interno entre dos personas construye más adelante puentes temporales y espaciales. Hizo café y, mientras lo tomábamos a sorbos, hablábamos acerca de pequeñas cosas. Entonces, de repente, ¡lanzó la bomba! Me pilló totalmente desprevenido. Tomó mi mano y la acarició amorosamente mientras se formaba una dulce sonrisa en sus labios.

«¿Qué harías» dijo, «si te dijera que yo soy la chica que has encontrado en tus sueños?»

Había una cálida luz resplandeciente de amor que brillaba en sus ojos. Mi corazón empezó a latir entusiasmado. Ella continuó hablando y mi entusiasmo continuó aumentando. Me incliné hacia delante, más cerca, casi al borde de mi silla. Los papeles se habían invertido. ¡Era yo quien estaba colgado de cada una de sus palabras!

«¿Me estás diciendo», interrumpí, «que ambos estábamos soñando el mismo sueño juntos, que tú realmente soñaste el mismo sueño que soñé yo?»

«Sí», asintió Pam. «Recuerdo haber estado contigo en varios de tus sueños, especialmente en tu sueño con tu hermano Richard. Recordé que no habías visto a tu hermano durante varios años previos a su muerte. Yo estaba en pie en la puerta cuando tú avanzaste hacia la luz para verlo. Estaba muy asustada de que fueras a permanecer mucho tiempo. Sentía que si no volvías pronto, podías morir, y nunca te vería de nuevo. «¡Fui tan feliz cuando te vi de nuevo volviendo hacia mí!»

Pam bajó la voz hasta que casi fue un susurro y me habló con gran sentimiento mientras se perdía en mis ojos.

«Recuerdo con mucha claridad cuánto te amaba en mis sueños y hasta qué punto me sentía realmente celestial flotando en el aire en esa estrecha nave espacial con tus fuertes brazos rodeándome. ¡Me sentí tan bien cuando te apretaste contra mí!»

¡Un maravilloso momento después estábamos extáticamente fundidos en los brazos el uno del otro! Ese mismo memorable brillo sagrado que me estremecía en sueños se repitió de nuevo y nos inundó a ambos como dos seres bienaventurados. A lo largo de esa noche predestinada, nos tocamos, nos acariciamos, nos besamos y nos perdimos en abrazos exquisitamente físicos y celestiales. Esos mismos sentimientos extáticos masculino-femeninos que había sentido tan frecuentemente en mis sueños se convirtieron en una realidad sensual y terrestre durante aquella maravillosa velada.

Durante días, semanas y meses, compartimos un amor espiritual y físico creciente. Ninguno de los dos poseía al otro. Nuevas decisiones llegan en la vida y las aventuras juntos, con independencia de lo deseables que sean en ciertos niveles, deben concluir. *Ambos habíamos deseado compartir un emparejamiento a nivel del alma con nuestra pareja del alma opuesta. Se convirtió en nuestra realidad.* Rápidamente se hizo obvio que las demás realidades que se hallan entre nosotros necesitaban confrontación. Los intereses y la misión en la vida de Pam eran muy diferentes de los míos. Ella no estaba casi interesada en mi trabajo «espiritual», en mis libros ni en mis conferencias. Sus sueños y sus pasiones inevitablemente la llevaron por su camino y a mí me condujeron por otro. Ésa es precisamente la manera en que sucedió y como debía suceder.

Un instructivo día, ambos supimos y reconocimos que nuestra aventura juntos había terminado. Nos liberamos uno al otro desde el interior de la luz de nuestras almas y cada uno tomó su propio camino físico. Sin embargo, las apariencias engañan. Cosas aún mejores nos esperaban a ambos. ¡Lo que parecía el final era sólo el principio!

3

¿Qué es una pareja del alma?

De todas esas magníficas estrellas en el cielo,
¿dónde se halla la que nos conoce?

¿Qué es exactamente una pareja del alma? Mi definición puede ser totalmente diferente de la dada por otra persona. Es muy importante que usted y yo sepamos de qué estamos hablando. Por ahora, la definición más concisa y directa es una pareja que usted encuentra a nivel del alma. Esto suscita inmediatamente una cuestión. ¿Cuál es la diferencia de encontrar a una persona a nivel del alma, en vez de encontrarla simplemente de persona a persona? De hecho, ¿qué es exactamente un nivel del alma comparado con cualquier otro nivel concebible en el que podamos encontrar a otra persona? La respuesta a estas preguntas nos hará comprender lo que nos mantiene o nos separa en cualquier relación. Dos o más personas pueden encontrarse en diferentes niveles conocidos: físico, emocional, mental o espiritual.

Un encuentro de persona física a persona física lo entiende cualquiera. El plano físico es fundamental y necesario si los intercambios han de hacerse entre dos personas en nuestro mundo tridimensional. También es fácilmente identificable una relación con otra persona de mente a mente. Dos personas que están muy polarizadas mentalmente pueden llevar a cabo amplios intercambios sobre lo que cada una de ellas piensa, cree u ocasionalmente conoce. Los niveles emocional o espiritual son más difíciles de entender. Sin embargo, cuando dos individuos disfrutan contemplando puestas de sol o amaneceres, o escuchar la misma clase de música, o leer la misma clase de poesía, y aman idénticas expresiones de arte, significa que cada una siente lo que siente la otra. Encontrarse en algunos niveles del sentimiento es vitalmente esencial en toda relación duradera. A través de sentimientos más refinados o de nuevas sensibilidades, avanza la evolución de la conciencia del cuerpo. Ésta es la diferencia vital entre la persona que escucha un concierto de Beethoven y oye únicamente las notas, y la que oye y siente la inmortalidad del alma y se siente elevadamente edificada. La sensibilidad interna del alma es muy diferente de las sensaciones de pura fricción o eléctricas del cuerpo.

Normalmente, encontramos a todas las personas en un cierto grado en cada uno de estos tres niveles, físico, mental o emocional. Podemos llamar correctamente a este encuentro unificado de los tres niveles entre nosotros y otra persona, un encuentro entre personalidades. La personalidad de cada persona tiene tres elementos internos distintos e identificables. Estos factores trinos son una presencia física, un pensamiento o presencia pensante y un sentimiento o una presencia emocional. Por el hecho de que nuestra masa física o nuestra estructura celular funciona mediante reflejos eléctricos llamados instintos, puede decirse que los pensamientos, los sentimientos y los instintos comprenden la suma total de nuestra personalidad.

Puesto que todo en la naturaleza refleja la dualidad, señalo que la naturaleza de la personalidad representa un aspecto *negativo* de nuestro ser, mientras que el alma o el espíritu interno representa la naturaleza *positiva* dentro de nosotros. Nuestra personalidad refleja el Universo Eléctrico, y el alma y el espíritu reflejan el tranquilo Universo Magnético. Psicológicamente, estos dos son forzosamente opuestos. El Universo Eléctrico nos encierra en un proceso involutivo, mientras que el Universo Magnético nos conecta con el aspecto evolutivo, que avanza y nos eleva por encima de la naturaleza. La personalidad individual, o la fuerza del alma, se manifiesta de innumerables maneras obvias. Las expresiones negativas de la personalidad son opuestas a las expresiones positivas del alma. Saberlo nos lleva a comprender que en cualquier relación, si una parte actúa predominantemente como una personalidad dormida y la otra funciona como un alma despierta, sólo existe un punto de encuentro entre ellos a través de la entidad infundida de alma.

Lo más grande puede contener lo más pequeño, pero lo más pequeño no puede contener a lo más grande. La persona que es consciente, desde la perspectiva del alma, puede encontrar y comprender a la persona que proviene de un punto de vista menor. Sin embargo, lo menor no puede contener a lo mayor. Así pues, la persona orientada hacia la personalidad no puede encontrar ni entender a la otra persona despierta que procede del alma. Otra manera similar de ver esto es que se puede incluir un cuarto de litro (una personalidad) en una jarra de medio litro (un alma), pero no se puede echar medio litro en una jarra de un cuarto. ¡Simplemente, ésta no puede contenerlo! El alma con la dimensión de medio litro conoce a la personalidad con la dimensión de un cuarto de litro, pero este mismo conocimiento iluminado es imposible a la inversa.

Algunas de las características básicas de la personalidad (a veces conocida como el *álter ego*) es que ésta es temerosa, duda, expresa únicamente amor condicionado o posesivo. Es desafiante, competitiva, defensiva, está culpabilizada e insegura, por mencionar únicamente algunos de sus rasgos negativos. Por otra parte, las virtudes positivas del alma (conocidas a veces como el ego) son justamente lo contrario. Una persona imbuida del poder del alma carece de miedo, expresa confianza y da libremente su amor incondicionado. Actúa de una manera receptiva, cooperativa, abierta y segura sin culpabilidad ni inseguridad. No necesita probar nada, simplemente es.

Siguiendo el punto de vista dual, se puede hacer una lista casi ilimitada de simples dualidades, que corresponden exactamente a la presencia muy real y negativa de un *álter ego* o personalidad y la exacta presencia positiva opuesta de la fuerza del alma. Vale la pena repetir: el alma no sólo es más expansiva e inclusiva, sino que también es tremendamente más poderosa que la personalidad. La frase «que la fuerza te acompañe», popularizada por la película *La guerra de las galaxias*, ¡significa exactamente esto! El poder de alma es más que una frase o un eslogan; es una realidad creativa y amorosa que espera despertar dentro de la realidad consciente de cada persona.

Ahora añado que el espíritu es el principal aspecto de nuestra trinidad individual. Puede contener y literalmente contiene al alma y a la personalidad en su interior. Aunque el alma está infundida por el espíritu, y puede y debe contener a la personalidad, como ya he señalado, no puede contener la amplitud del espíritu. Más adelante la personalidad dormida puede ser incorporada al alma como un instrumento positivo tridimensional. Hasta entonces, sin embargo, la conciencia de la personalidad dormida únicamente se identifica y se relaciona con todos los demás miles de millones de personalidades presentes en la Tierra. Así pues, por última vez, la personalidad no puede contener ni al alma ni al espíritu, pero está siempre infundida por algún grado de alma y espíritu. De otro modo, dejaría de existir en un mundo físico.

Por ello, en este caso es plenamente aplicable la gran regla estándar para juzgar, «por sus frutos los conoceréis». Se pueden juzgar con sabiduría las ideas y las acciones de los demás y saber si muestran mucha o poca dignidad. ¡Ya no puede aceptarse la creencia corta de miras sobre cualquier cosa, simplemente porque alguien dijo que Dios lo dijo! No es la persona ignorante que afirma la salvación facilona, que se golpea el pecho y proclama tener una actitud más sagrada que la de los demás la que demuestra la fuerza del alma. ¡Es justamente lo contrario! Es la persona no condicionada, amorosa y permisiva, tolerante con las ideas y los pensamientos de los demás, quien expresa auténticamente la cualidad del alma. Mírese ahora a sí mismo. Son las palabras positivas o negativas, o su ausencia —los pensamientos y sentimientos positivos o negativos, o su ausencia—, las acciones físicas o negativas —o la ausencia de ellas—, las que muestran claramente a cualquier observador objetivo si existe la presencia de un alma despierta o de una personalidad completamente dormida.

Puede reconocer cuáles de estas enormes diferencias en la expresión de la vida está usted escogiendo en este momento. Si no le gusta lo que ve, simplemente cámbielo. Obviamente, cuando puede distinguir estas diferencias y fuentes de expresión, ya sea en sí mismo o en los demás, tiene una gran ventaja. Conoce exactamente de dónde «procede» la persona y puede manejar este conocimiento de manera apropiada.

Para resumir estas comprensiones, cuando dos personas se encuentran en el nivel del alma en la conciencia, existe un reconocimiento automático y una armonía. Esta especie de comunión divina instantánea, literalmente lenguaje de la luz, puede suceder entre extraños, amigos, asociados comerciales, familiares y personas amadas. Si este encuentro se produce entre miembros de una pareja, entonces existe ya una relación de pareja del alma, según la primera definición de parejas del alma.

Más adelante en este volumen trataremos de los términos «almas gemelas, llamas gemelas, almas afines, gemelos astrológicos», y otras palabra similares inventadas para expresar la idea de una relación especial única entre hombre y mujer. Existen muchos términos utilizados para expresar esta idea de una extraordinaria afinidad entre las personas de sexo opuesto.

Tener la presencia divina de alguien en su vida que es su igual, ya se llame pareja del alma, o se identifique con cualquier otra etiqueta única, es una ocasión alegre y de lo más feliz en esta Tierra. Muchas personas están deprimidas porque no la tienen. Si es usted una persona romántica, entonces su dolor es mayor cuando pasa sus horas solo. Yo lo sé por haber pasado la mayor parte de mi adolescencia y de mi vida adulta como una de esas personas románticas. No amar ni ser amado por una pareja del sexo opuesto me parecía algo muy poco natural para mí. Me doy cuenta de que existen algunos seres humanos que no necesitan ni desean esta alegría exquisita de la compañía cálida y el amor compartido con un cónyuge en el nivel del alma, o en cualquier otro nivel. Muchas personas están casadas felizmente con sus trabajos, sus carreras, su arte, su política, su religión, su ciencia, sus negocios, su familia, su nación, o, lo mejor de todo, ¡con su Dios! Mantienen un foco unidireccional de atención en la visión o en la misión de la vida que ellas han escogido. No hay nada malo en ello. Están haciendo y disfrutando de lo que les hace felices y es apropiado por el momento, acelerando así su propia evolución. Esta clase de personas han escogido el destino de estar solas. En última instancia, cada uno de nosotros debe encontrarse con nuestro Dios solo, cara a cara. No puede hacerse «agarrado de la mano» de una pareja del alma.

En esta vida he escogido ser un hombre de familia, lo que quiere decir estar con una pareja a la que amo y que me ama. ¿Qué escoge usted?

Puesto que está leyendo este libro, imagino que quiere manifestar «a alguien especial» en su vida, a alguien que pueda amar como usted ama, vivir como usted vive, y soñar como usted sueña. ¡Estupendo! ¡Entonces sé cómo ayudarle para acelerar este destino divino!

Como norma general, «una situación familiar» de matrimonio y niños es el mejor terreno disponible para sembrar la semilla de la propia madurez y crecimiento personal. En una situación de matrimonio, un hombre y una mujer son probados diariamente y son capaces de evolucionar muchas veces al día. El simple acto de superar un problema físico o mental individualmente o juntos enriquece el desarrollo del alma. Piense acerca de ello. Cualquiera que esté en su vida y que actúe como un espejo perfecto, puede reflejarle sus puntos fuertes y sus debilidades. Puesto que nadie puede evolucionar cuando ella o él ignora sus debilidades, ¡su «igual» es literalmente un regalo del cielo!

Céntrese en su deseo de encontrar una paraje del alma y sígala. Un intenso deseo le proporciona un poder invencible. Le deseo la velocidad de Dios mientras explora estos pensamientos y los pone en práctica. ¡Se encuentra usted en un viaje divinamente bendecido y sagrado!

4

¿Hay más que uno?

*Ensánchate y únete en un cálido abrazo, extiéndete, expande y toca
todos tus otros puntos y partes en el espacio.*

Cuente las estrellas en los cielos. ¿Hay más de un cielo? Por supuesto que los hay. Para algunos es simple teoría; para mí es un hecho el que para cada pequeña o gran estrella en cualquier universo, existe siempre otra estrella que es su homóloga exacta. En ese vacío ilimitado de toda existencia, existen innumerables formas distintas de vidas además de nuestras estructuras humanas únicas, y también se encuentran involucionando, evolucionando, desenroscándose y enroscándose, comprimiéndose y expandiéndose, descendiendo y ascendiendo, en sus propias épocas y estaciones, dentro de su *marco* compartido en el tiempo de espacio.

¿Por qué un Creador ilimitado de todo lo que no existe crearía incontables iguales u homólogos entre sí, para que pueda darse ese reconocimiento y crecimiento interno entre los dos? ¡A menos que todas las parejas estuviesen igualmente equilibradas por una pareja homóloga, todo el universo estaría desequilibrado!

Piense acerca de esto. Continúe considerándolo. ¿Por qué siente tanta atracción por algunas personas y tanta repulsión por otras? ¿Por qué siente una familiaridad inmediata o alguna especie de fraternidad con algunos individuos a simple vista? Simplemente porque existen longitudes de onda, tonos, sonidos, espectros de luz, pensamientos o ideas homólogas que se emparejan. Piense sobre las abrumadoras aleaciones matemáticas en acción. ¡Hoy día existen más de seis mil millones de almas humanas en la Tierra! Con que solamente una de cada diez mil estuvieran al mismo nivel de conciencia de alma que usted y la denominada edad adecuada, la apariencia apropiada, etc., entonces habría por lo menos 650.000, la mitad hombres y la mitad mujeres. Esto deja 325.000 posibles parejas del alma, con tal que pueda encontrar a su opuesto en el nivel del alma. ¡Debe reconocer que esto posibilita una amplia gama de posibles parejas del alma!

¿Qué pasaría si existiera únicamente una persona entre un millón que resonase en su nivel del alma? Esto deja todavía más de tres mil posibles maravillosas combinaciones. Permitámonos ser tan incrédulos para sugerir que, tal vez, una entre mil millones vibra con usted a la altura de su alma. Todavía esto le deja tres o cuatro parejas del alma para escoger.

Deje de lado los miedos de haber sido «marginado» o de que nadie sobre la Tierra podría amarlo o entenderlo. Todos nosotros tenemos un montón de compañía en cualquier nivel que operemos del alma, sea alto o bajo. Puesto que todos los niveles del alma son positivos, sea cual sea el nivel que se tenga, el más bajo de los bajos, o el más alto de los altos, existe alguien equivalente para reflejar su propia identidad divina. Dé las gracias y céntrese en ese pensamiento cada vez que lo necesite también en el futuro.

Mientras tanto, ¿no sería sensato dejar atrás todos los miedos, dudas, culpabilidades y otros obstáculos creados por los mismos que haya podido adoptar en alguna ocasión en el pasado? Sepa simplemente que tiene todas las facultades y factores activos dentro de usted para convocar a voluntad ante usted a su pareja del alma.

Considere esto. ¿Está usted vivo y es consciente de estar vivo? ¿Posee usted realmente la capacidad de elegir o el libre albedrío? ¿Tiene una mente abierta que hace que cualquier cosa sea posible? ¡Sólo es imposible una mente cerrada! ¿Lo desea? Si es así, tiene todo el poder del universo dentro de usted para convocar y materializar a su pareja del alma en su realidad. ¡El deseo es la única fuente de todo poder!

Dése cuenta más allá de toda duda de que existe ahora mismo alguien que es su homólogo ideal y que desea conocerlo y estar con usted en este mismo momento; esté seguro de ello: su homólogo quiere estar con usted tanto como usted desea estar con él o ella. Pertrechado con este conocimiento, actúe alegremente en su magnífico viaje. ¡Cualquier cosa que sepa de manera absoluta es algo absoluto!

5

Cómo empiezan las relaciones de las parejas del alma

Las margaritas nunca hablan. Levanta tus perplejos ojos al cielo.
¡Entonces aparecerá tu única estrella!

El cómo, lo mismo que el dónde, se desarrolla una relación de pareja del alma depende de varios factores. Tanto si cree que la Tierra es redonda, como si no, eso no cambia que lo es, aunque muchas personas creyeron que era plana durante miles de años. Tanto si cree en la reencarnación como si no, eso no cambia el hecho. Si la reencarnación, no está dentro de su realidad, simplemente significa que se han aceptado falsas creencias o enseñanzas, y que todavía no ha encontrado hechos que lo prueben para convencerle de que todas las almas humanas entran y salen en formas humanas una y otra vez. Este proceso simplemente continúa sin fin hasta que usted y yo lleguemos al mismo nivel de identidad despierta que Jesús encontró hace dos mil años. Sólo cuando sabemos que «el reino de los cielos está dentro», que «mi Padre y yo somos uno» cesa el ciclo de la reencarnación en el nivel humano. No existe ningún juicio condenatorio por el hecho de que la reencarnación no se encuentre entre sus creencias o conocimientos. Sólo cada alma es responsable de lo que cree o sabe. Señalaré, sin embargo, que, mientras que crea en algo, puede ser manipulado, conducido en manada o llevado en cualquier dirección, mientras que los que están en el poder le alimentan con creencias vacías. La mejor posición de la conciencia respecto a cualquier cosa es saber. Saber es la cualidad divina del alma y del universo magnético, mientras que creer y pensar son cualidades de la personalidad y del universo limitado eléctrico. ¿Acaso no es sensato salir de los «sistemas de creencias» alimentados en todos nosotros, inmersos como estamos en la conciencia social, y vivir en lugar de ello sólo de acuerdo con lo que conocemos? Hay que admitir que esto supone un gran cambio. Las recompensas inmediatas del crecimiento superan con mucho el coste de dejar detrás el viejo dogma. ¡La verdad siempre nos hace libres!

La reencarnación a veces juega con «mano dura» en el porqué algunas parejas del alma se atraen entre sí desde la primera mirada. Todos hemos nacido y renacido en las principales civilizaciones que han existido en la Tierra. Cada vez que durante una vida se ha establecido un vínculo intenso de amor o de odio entre dos personas, queda registrado en ambas almas. Nada queda olvidado una vez que ha sido experimentado por alguna forma de conciencia. Con tan sólo este campo de posibilidades, podemos tener una gran serie de vidas con amantes. Esto es por lo que alguien de una vida pasada entra en una habitación o camina entre nosotros, existe un reconocimiento innato, una familiaridad agradable o, a veces, muy desagradable.

Sucede a continuación que, si tuvimos una maravillosa relación con esa persona en una vida pasada, sería fácil, si todas las condiciones son favorables, restablecer otra relación basada en la memoria del alma. También sucede a la inversa. A alguien a quien despreciamos u odiamos en otra vida puede aparecerse de nuevo ante nosotros para que podamos conocer ahora cuáles son sus partes apreciables. Podemos reconocer a Dios dentro de cualquier cosa o cualquier persona con tan sólo mirar profundamente.

En algunos casos, las relaciones pasadas permanecen como una base a partir de la cual podemos continuar desarrollándonos más. Un cónyuge de un matrimonio pasado puede sentir que en el mismo ha quedado algo pendiente entre los dos. En este caso, la actual relación puede durar sólo lo suficiente para aclarar lo que quedó pendiente y después acabar bruscamente. El libre albedrío, la elección y la atención son sólo factores determinantes. Si, por otra parte, el encuentro de las almas continúa avanzando en ese alto nivel, puede acabar creando una relación de pareja del alma duradera. En ese caso los dos han escogido seguir el mismo sendero, juntos, para evolucionar hacia la divinidad.

Cualquiera que eche un vistazo realista al estado actual del mundo puede ver por sí mismo que casi todas las relaciones de matrimonio se limitan a intercambios de personalidad. Que el fuerte pegamento del magnetismo de la fuerza del alma es casi inexistente. Así pues, lo que aparece como una relación sólida pronto se convierte en una relación inestable, vacilante, y conduce a que los caminos se separen. Existió una época en la que yo creía que los matrimonios debían acabar si las diferencias mentales, emocionales, físicas o espirituales de los cónyuges parecían incompatibles. Ahora sé que todos los matrimonios deben considerarse como sagrados una vez que se han comenzado, y que no deben terminarse por ninguna razón salvo el mal trato físico, mental o emocional.

Bajo esta perspectiva, ¿es posible estar casado con alguien que no parece al principio su pareja del alma, pero que puede convertirse en ella a lo largo de años de paciente tolerancia y permisividad recíproca? Sí. ¿Qué es imposible con Dios?

De ello se deduce que puede elevar su conciencia para encontrar su pareja en un nivel del alma si todavía no lo ha hecho. A menos que ambos estén comunicando e interactuando juntos en la misma «frecuencia de onda», esa bienaventurada unión del alma que podría compartir no es posible. Diciéndolo de una manera ligeramente diferente, sólo a través de la conciencia del alma que comparten los miembros de una pareja es como puede llegar a aplicarse el término de parejas del alma, como algo concretado en el presente. Cuando hemos obtenido el privilegio de encontrar un cónyuge en los niveles del alma, esa posibilidad continúa registrándose y se extiende de nuevo a un encuentro o un compartir juntos en una vida futura. Esto no quiere decir que deba usted estar legal o formalmente casado según las costumbres del país. El matrimonio real entre dos entidades siempre existe dentro de la conciencia entre los dos. Si usted está realmente casado con la otra persona, lo sabrá, y disfrutará de sus relaciones como tales. Si no, el matrimonio no ha estado ahí desde el principio y requiere ser creado aunque ya está casado. El matrimonio debe realizarse entre usted y su pareja. Los papeles de matrimonio simplemente representan la intimidación legal de un ritual de parodia y promesas de papel. Son únicamente las leyes internas establecidas por el mismo Dios de nuestro ser interno las que crean y gobiernan un verdadero matrimonio, no los gobernantes del país o los rituales de los sacerdotes creados por el hombre. La única forma que cualquier matrimonio adopta varía de nación a nación, de región a región, de raza a raza, y de religión a religión, pero el aspecto de conciencia unificada recíproca del acuerdo de un matrimonio entre mujer y hombre en cualquier país, región, raza o religión es siempre el mismo. ¡Es o no es! La boda debe de tener lugar como un acuerdo mutuamente compartido en la conciencia. Sólo entonces puede el matrimonio reflejar auténticamente alguna especie de acto externo o de fusión física. Tales matrimonios son sagrados y nunca deben ser disueltos por ninguna razón, excepto por el maltrato violento de un miembro de la pareja por otro.

Mantener su matrimonio de una manera sagrada una vez que se ha establecido es algo extremadamente importante. El adulterio es una verdadera violación de las leyes de Dios, incluso cuando el adulterio se comete únicamente en la mente. ¡Nosotros podemos hacer de cualquier matrimonio existente o de cualquier afinidad entre hombre y mujer una relación muy real de pareja del alma si decidimos hacerlo! Puede que esto exija un considerable poder de voluntad y una fuerza del alma disciplinada, pero las recompensas son sublimes. Por ello, una vez que estamos dispuestos y podemos elevar nuestra relación diaria en el nivel del alma, tanto si se trata de un matrimonio legalizado, como de cualquier otra manera de fusión externa, nos encontraremos interactuando felizmente con nuestra pareja del alma, ¡exactamente donde nos encontramos en el Eterno Ahora!

Por supuesto, esta nueva conciencia significa un cambio del yo mediante cambios de actitud. También llevará tiempo y esfuerzo, porque siempre es difícil enfrentar las creencias de nuestra propia personalidad rígida y *respetar* las de los demás. Muy pocos de nosotros hemos aprendido a permitir de alguna manera que los demás tengan sus ideas de la verdad, por muy limitadas que parezcan, o nos parezcan, según lo que sabemos. Aportar conscientemente una fuerza del alma positiva en nuestros intercambios une y eleva esa relación, tanto si se trata de una pareja, un socio comercial, un extraño, un amigo o queridos miembros de la familia.

Afortunadamente, nuestras poderosas almas tienen el poder para influir, actuar sobre nosotros, imprimir, o dirigir la conciencia de nuestra personalidad dormida en una acción física contraria o más allá del pensamiento o sentimiento escogido. El «yo interno» puede vetar una dirección decidida por nuestra personalidad. Nuestra personalidad puede decidir emprender cierta acción, o una línea de dirección, y nuestra alma puede intervenir y cambiar esa decisión. Nuestra alma puede conducirnos a voluntad hacia un sendero o hacia salidas totalmente diferentes cuando es más satisfactorio para el Dios que está dentro de nosotros. Esa «intervención divina», o acto de encargarse en un momento inesperado de nuestras vidas, es una aplicación directa de esa ley universal ya enunciada brevemente antes: «Lo mayor controla a lo menor.» Lo sé personalmente, lo he experimentado ya varias veces.

El relato que sigue, una verdadera historia de cómo mi alma tomó el mando y alteró el curso de mis pasos y mi destino, le ayudará a asimilar esta idea. Esta historia también demuestra que incluso, entre verdaderas parejas, una fricción suficientemente grande puede causar una grieta o una separación temporal/espacial entre los dos. Por ello, si se ha preguntado alguna vez si es posible que se produzca una ruptura entre parejas del alma, ¡la respuesta es *sí*! Cualquier desequilibrio profundo o mala utilización de la energía y de la conciencia en el plano físico puede perturbar inmensamente su vida. Conozco esto como un hecho cierto.

Muy pronto en mi carrera profesional de baloncesto encontré a una adorable joven, con la que me casé, que definitivamente era «mi igual», y tal vez más infundida de alma que yo mismo en aquella época. Yo, literalmente, la aparté de mi vida mediante un acto violento y explosivo de celos insanos.

Acabábamos de terminar una guerra a voz en grito cuando mi impensado acto de violencia puso en gran peligro su vida. En la cumbre de este drama violento emocional se paró el tiempo. Mi enfado hizo que le pegase un puñetazo en el estómago. Dos semanas antes, Bonnie había sufrido una operación de apendicitis. Literalmente podría haberla matado con aquel golpe.

Mi acto fue realmente casi un ejemplo perfecto de *reacción que reflejaba otra acción en el tiempo:* cuando Bonnie, a través de la misma clase de celos insanos, me había apuñalado en el estómago con un cuchillo, causándome una muerte instantánea, en una vida anterior, cinco mil años antes. Sucedió durante una vida que compartí con ella en Hawai. El pasado es el pasado, y el presente es el presente. Yo había cometido en ese preciso momento en esta vida un acto casi de idéntica violencia contra ella. La puerta del tiempo se abrió de par en par de nuevo. La pequeña sala de estar se desvaneció de la vista. En su lugar apareció una sobrecogedora visión clara como el cristal. En ese momento, mi hermosa Bonnie se transformó ante mis ojos convirtiéndose en una anciana harapienta. Permaneció como bañada en un resplandor rosa y feérico, salpicada por el polvo de los tiempos. ¡El proceso de acción se aceleraba! Yo observaba totalmente horrorizado cuando ella empezó a desmoronarse y desintegrarse, dejando solo ante mis ojos un pequeño montón de cenizas grises.

Simultáneamente, una severa voz habló dentro de mi conciencia. La misteriosa voz anunciaba que mi acto físico violento y desequilibrado de cólera celosa contra Bonnie había justamente creado un inmenso precipicio infranqueable entre su alma y la mía. La voz interna afirmaba que el abismo continuaría existiendo entre su alma y la mía hasta que yo viera esta misma visión repetida una vez más ante mis ojos. La voz me dijo que nuestros caminos se separarían en unos pocos días. Mi alma había intervenido. La promesa que hizo de repetir la macabra visión se conservó durante muchos años después.

Cuando se desvaneció esa espectacular visión, caí de nuevo en la cuenta de estar de pie ante una Bonnie desconcertada. Su rostro era ceniciento y estaba doblada de dolor a causa de mi golpe repentino y explosivo, totalmente inesperado. Permanecí en pie allí en silencio durante un buen momento. Mi cólera me había abandonado. Ahora estaba totalmente calmado y congelado en el tiempo. Me estremecí de miedo y me entraron unos grandes remordimientos y aprensión. Sabía que Bonnie podía morir ante mis propios ojos. Estuvo terriblemente enferma durante unos minutos, pero poco a poco recuperó su aliento y su compostura. La batalla había terminado en una violencia inesperada. Ambos estábamos enormemente conmocionados y nos quedamos sin palabras por unos instantes. El misterio de esa visión deformada en el tiempo permaneció sin resolver justo hasta el último momento, en el que se repitió la visión exacta y detallada ante mis ojos, exactamente como había previamente ordenado mi Dios interno.

Mientras tanto, la relación apasionada de amor del pasado se había agriado entre mi amada Bonnie y yo. En explosivos acontecimientos rápidos y sucesivos, Bonnie y yo nos separamos muy pronto y nos divorciamos. La predicción se había convertido en una realidad. Estaba de nuevo solo en el mundo. Todo lo que previamente había tenido y sentido en mi vida, repentinamente se había derrumbado sobre mí. Sin embargo, continué sintiendo un fuerte y añorante amor por Bonnie. Pero un muro impenetrable surgió repentinamente entre nosotros. Por mucho que lo intenté, no pude localizar su nueva dirección ni descubrir su presencia física. Durante diez largos y sentimentalmente dolorosos años, mentalmente, y a veces incluso físicamente, ahuyentaba el fantasma de mi «amor perdido». Cualquier forma de mujer apercibida en la distancia que se pareciera a ella atraía rápidamente mi atención y mis esperanzas. Una y otra vez, estos continuos espejismos se desvanecían en cada ocasión. Parecía como si hubiera desaparecido de la faz de la tierra. Sabía que sus padres estaban al tanto de dónde se hallaba, pero se negaban a decírmelo, así que la invisible aunque poderosa barrera permanecía entre los dos. Mientras los largos años de búsqueda iban pasando, todavía continuaba esperando y buscando. Afortunadamente, aunque mi cabeza se volvía mucho al pasado, me las arreglé para encontrar algún tiempo en el presente y algunos saltos adelante personales en mi propia comprensión de la realidad.

Escuché la misma voz severa que me hablaba en otra época, cuando intentaba dejar la civilización y vivir el resto de mi vida en una cueva. El tiempo se detuvo momentáneamente de nuevo. *La voz* me dijo que no podía vegetar, esconderme en una cueva, que debía inmediatamente regresar a la civilización y reunir más autoconocimiento, compartiéndolo con los demás a medida que aprendía a digerirlo y a vivirlo. Yo había ido al «valle de la tribu perdida» en Kauai, la Isla Jardín de Hawai. Sentía que toda la Tierra estaba completamente incivilizada y era bárbara, y que ya no deseaba vivir en un entorno tan hostil. Intentaba vivir totalmente el resto de mis días recluido en una gran cueva que había descubierto a lo largo de la playa junto al valle. Pero en vez de ello, di la vuelta y me dirigí totalmente en una nueva dirección. Esa vez, era un hombre con una misión. Con una mente abierta, busqué conocimiento allí donde podía encontrarlo. Puesto que el conocimiento quiere ser grabado y captado en la medida que puede ser grabado o captado, me abrí camino de maestro a maestro, avanzando siempre un poco más a medida que dominaba cada nueva escuela de pensamiento que se me presentaba.

Vuelvo a Bonnie. Diez años después, mi búsqueda interminable por la verdad me llevó a un maestro extraordinario que presidía una Iglesia de la Ciencia de la Religión en el sur de California. Podemos llamarle Lew y preservar así su identidad.

Lew tenía unos veinte nuevos estudiantes, que se formaban en un curso de curación. Nos pasó a cada uno una pequeña cuartilla en blanco. Nos dijo que escribiésemos en ella lo que más queríamos en la vida, que pusiéramos exactamente en el papel la cosa deseada. Después, dijo que escribiéramos nuestras iniciales en la parte de abajo de la cuartilla, las dobló y las puso de nuevo en un gran tazón que tenía en las manos. Esperó pacientemente mientras escribíamos nuestros deseos individuales, después de recogerlos, hizo circular la gran taza por la habitación de nuevo. Dijo que teníamos que sacar una cuartilla cada uno y nuestra tarea de fin de semana, cuando llegásemos a casa, sería leer lo que nuestros hermanos o hermanas de la clase habían escrito como sus deseos más ardientes. Nuestro trabajo consistía en poner nuestra formación en práctica. Cada uno de nosotros nos centraríamos en ver la realidad del deseo escrito en el ojo de nuestra mente durante unas pocas horas a lo largo del fin de semana. Nuestra tarea consistía en ayudar a que cualquier deseo que hubiéramos seleccionado de la taza se hiciera una realidad viva. Era el comienzo de un gran juego y todos nosotros fuimos a nuestra casa con un sentimiento de entusiasmo y exaltación sobre nuestra tarea casera. El «giro» de ayudar a otro para conseguir lo que quería era algo que se añadía a la intriga.

Ese fin de semana, siguiendo las instrucciones de Lew, me senté para centrarme en lo que me parecía que sería el deseo tremendamente frívolo de una compañera de clase. Por mucho que lo intentaba, no podía realmente tomar en serio ayudar a alguien a manifestar un deseo aparentemente tan insignificante. Sin embargo, seguí intentando con todo corazón centrarme en aquel deseo sin importancia.

De repente, me pareció que un pensamiento significativo me había golpeado la cabeza. ¡Descubrí que si me era difícil centrarme en manifestar la idea que pertenecía a otra persona, entonces era posible que cualquiera que hubiera recibido mi deseo pudiera estar haciendo un intento a medias! Súbitamente, tomé la firme decisión de responsabilizarme de mi propio trabajo creativo ¿Por qué dependería de otra persona hacer el trabajo por mí?

Mi propio deseo estaba expresado en un mensaje breve pero vitalmente significativo: «Quiero contactar con B.B. de nuevo.»

Por diez años, ése había sido el deseo y el pensamiento predominante dentro de mí. ¡Lo deseaba más que ninguna otra cosa en ese momento! Cuanto más lo pensaba, más crecía mi resolución de hacer que pasara. ¡Lo haría yo mismo, y no a través de cualquier otra persona!

Hasta entonces, había parecido algo imposible. Ninguna de las muchas cartas dirigidas a los padres de Bonnie habían sido nunca contestadas. No me las habían devuelto, así que parecía razonable que las cartas habían sido recibidas. En ese momento, me sentí invencible. Tuve la inspiración de sentarme y escribir una gran carta de queja, primero a los padres de Bonnie y después a Bonnie, a través de ellos. Supe que puesto que sus padres no me darían la dirección de Bonnie, tenía que ser realmente persuasivo y esperar que ellos contestasen a mi carta. De alguna manera, supe que esa carta llegaría finalmente a Bonnie. ¡Lo que se sabe de una manera absoluta es absoluto!

En mi carta a sus padres, explicaba que yo era una nueva persona. Les decía que había encontrado una nueva e inspiradora espiritualidad dentro de mí. Expresaba mi amor del alma hacia ellos, al mismo tiempo que mi remordimiento y mi angustia sobre la pérdida de Bonnie. Reconocía una plena culpabilidad por nuestra separación y pedía que me perdonasen por haber hecho a su hija tan infeliz. Con vergüenza, les rogaba que hiciesen llegar la carta adjunta a Bonnie, invitándoles a leerla primero si querían.

Cuando acabé esa larga carta, empecé otra, con palabras semejantes pero cargada con la fuerza del alma y amor hacia Bonnie. Le pedía su perdón y le expresaba mi amor eterno y el deseo de verla de nuevo.

Cuando fue escrita la última palabra de ambas cartas, me sentí increíblemente excitado y exaltado. Sentía como si hubiera ya conectado de alguna manera y el resto sería simplemente historia. Esto demostró haber sido una percepción interna válida.

Apenas había dejado mi pluma y cerrado el sobre cuando otro pensamiento positivo imprimió mi mente. Sentí un impulso irresistible de montarme en el coche y de echar la carta en el buzón de la calle principal del centro comercial en Redondo Beach, muy cerca de donde vivía en aquella época. Sin ninguna duda, salté al interior de mi coche con la carta en la mano y me precipité hacia el centro comercial. Cuando estaba ya cerca de mi destino, aparqué mi coche y caminé hacia el buzón. Di un beso de despedida a la gruesa carta que ya tenía el sello. En el momento en que la carta desapareció en el buzón azul, me sentí invadido por un torrente de increíble energía. Me sentí poderosamente inspirado. ¡Era capaz de saltar altos edificios con un poderoso brinco! Al mismo tiempo me vino otro pensamiento provocador. Durante algunos días, había querido asistir a una película con uno de mis actores preferidos, Robert Mitchum. Decidí ir inmediatamente. El cine estaba cerca, pero estaba más lejos de la distancia que estaba dispuesto a caminar. Regresé a mi coche sintiéndome como si midiera dos metros y medio. Parecía casi como si mi cuerpo no tuviese peso, como si estuviera caminando por el aire. Con un elevado espíritu, alcancé mi coche y me dirigí directamente hacia la arteria principal llena de circulación, en donde se encontraba el cine que proyectaba la película de Robert Mitchum.

«Ya está», me dije mentalmente a mí mismo. «Esta vez ¡sé que mi carta ha llegado directamente a Bonnie!»

Sin ninguna advertencia ni señal de aviso, la poderosa mano de mi alma se posó en mi hombro. Fui cerca del cruce lleno de tráfico, pero en lugar de atravesarlo y torcer en el aparcamiento, abruptamente coloqué mi coche en el aparcamiento de otro cine que estaba a mi derecha. ¡No era el cine al que yo quería ir! ¡O lo era! Estaba aturdido.

«¿Por qué hice eso?», me pregunté a mí mismo. *¡Ninguna respuesta!*

Giré mi cabeza para leer la película que anunciaba encima de la ventanilla en donde se sacaban las entradas. El título de la película era *Ella* *. Sonaba vagamente en mi conciencia ahora medio congelada. Una parte de mí no podía entender lo que estaba haciendo, mientras que otra parte desconocida de mí parecía encargarse de todo ¡y saber exactamente lo que estaba haciendo! Yo no tenía intención consciente de aparcar en *ese* aparcamiento ni de ver *aquella* película. Hasta ese preciso momento ni siquiera sabía que existía una película titulada así, aunque conocía la existencia de ese pequeño cine que estaba en la esquina. ¿Qué sucedía? Se suponía que yo me dirigía a ver otra película protagonizada por Robert Mitchum. No tenía intención de ver ninguna otra película. ¡No sólo había girado y aparcado en el aparcamiento de la película *equivocada*, sino que estaba saliendo fuera de mi coche y caminando hacia la taquilla *equivocada*, para comprar una entrada para la película *equivocada*!

Pensamientos de rebeldía surgían en mi mente como palomitas de maíz saltando al freírse.

---

* La película *Ella* está basada en la novela del mismo nombre de H. Rider Haggard, publicada originalmente en 1887, y disponible en reediciones de diversos editores.

Compruébelo en su biblioteca local. La película, rodada originalmente en 1917, fue rehecha varias veces a lo largo de los años. La versión británica de la película se hizo en 1965.

«¿Qué es esto? ¿Qué está pasando? ¿Por qué estoy haciendo esto?» *Ninguna respuesta.*

Éste era un caso en que la verdad era más grande que la ficción. Llegué a la taquilla, puse la cantidad correcta de dinero ante la taquillera, y la joven sonriente me dio mi entrada. Me dijo que me diese prisa por el largo pasillo puesto que la película iba a comenzar. Mientras tanto se agarraba a mí el sentimiento sobrecogedor de que estaba de alguna manera perdiendo la cabeza.

«¿Por qué estaba voluntariamente haciendo lo contrario de lo que quería hacer?», me preguntaba. *No había ninguna respuesta.*

Recorrí el largo pasillo tal como se me había indicado y me deslicé en la primera butaca vacía. En el momento en que me senté, se apagaban las luces de la sala y empezaba la película. Fue una fracción de segundo, como si algunas entidades invisibles hubieran dado la señal a otras entidades invisibles de que apagasen la luces y empezase la película.

Tal vez ya pueda darse cuenta de lo confuso y tenso que estaba mientras me sentaba a leer el reparto y cómo empezaba la película.

A medida que aparecían los personajes principales sobre la pantalla aumentaba la sensación feérica. El protagonista de la película, John Richardson, era casi una réplica mía en aquel tiempo. Tenía el mismo color de piel, el mismo equilibrio y aura que yo, la misma constitución y peso, los mismos ojos azules, la misma abundante cabellera y el mismo porte arrogante que a veces yo mostraba cuando caminaba o en mis posturas corporales. Yo tenía la sensación extraña y muy clara de que estaba mirándome a mí mismo en la pantalla. *¡Estaba a punto de obtener mi respuesta!* El argumento se desarrollaba rápidamente. Trataba de una «civilización perdida», gobernada por una reina cruel pero hermosa, que aparentemente poseía una vida inmortal y, de esta manera, un poder ilimitado sobre sus súbditos. Tres amigos, recientemente salidos de la Legión Extranjera, estaban planeando encontrar aquella ciudad perdida y llevarse todos los tesoros legendarios que pudieran transportar. A medida que crecía su excitación por esa gran aventura, crecía la mía. Yo era uno de ellos. El desarrollo de cada movimiento de la película parecía conducirme hacia alguna especie de explosión dramática.

Cuando apareció la protagonista, Úrsula Andress, me incliné hacia delante hasta el borde de mi butaca con incrédulos ojos. ¡Era una réplica de Bonnie! Tenía la misma figura increíble, el largo cabello rubio y los ojos grises azulados de color arena. Desde aquel momento, no pude dejar el borde de mi asiento hasta que acabó toda la película. Todo mi ser estaba inmerso en sentir, tener la sensación y vivir la saga dramática que se desarrollaba ante mis ojos maravillados y fijos.

El escenario de la película cambió hasta el valle recluido en el que reinaba la diosa reina sobre sus súbditos con una tiránica mano de hierro. La reina había matado a su anterior amante, el rey, reencarnado ahora, miles de años después, en uno de los tres amigos, a causa de los celos por una aventura que él había tenido con una esclava. *Había hundido su daga en su vientre y él murió inmediatamente.* La reina estaba llena de remordimientos porque verdaderamente amaba al rey, sabiendo que no tenía otro igual en la Tierra. Poco después de su muerte, ella encontró el secreto de la inmortalidad, pero se negaba a compartirlo con nadie, puesto que esto la hacía invencible. Añoraba estar en brazos del rey de nuevo, y puesto que ella era inmortal, sabía que simplemente consistía en un asunto de tiempo hasta que se reencarnase en la Tierra. Cuando los tres aventureros estaban haciendo sus planes, ella viajó a la ciudad e implicó directamente a uno de ellos. Contó al rey reencarnado la historia de su pasado y le invitó a regresar a ella. Le reveló que muchos hombres habían deseado ser su rey durante su larga ausencia, pero que ella les había considerado a todos indignos. Él debía probar ahora su propia valía. Únicamente si lograba culminar la larga caminata entre las montañas y desiertos ardientes del Valle de la Civilización Perdida, sin ayuda de guías, le sería permitida la entrada en su reino. Le dio un mapa, un beso de despedida y le dijo que estaría esperando ansiosamente su regreso. Desapareció tan misteriosamente como había aparecido.

El rey reencarnado, seguido de cerca por sus dos compañeros, luchaba contra la naturaleza y los hombres, pero finalmente llegaba triunfante al valle perdido. Era recibido con gran alegría por la malvada reina. En el curso de los acontecimientos, ella le dijo también que podría aprender el secreto de la inmortalidad, y que juntos gobernarían el mundo. Le invitó a la cámara de la montaña secreta para seguir con ella el eterno ritual. Mientras que el rey debía observar, la reina subió a un altar redondo de piedra. Le explicó que únicamente una vez cada mil años una cierta estrella clave se ponía exactamente en la posición apropiada, de manera que un rayo de su misteriosa luz brillaba a través de un agujero que había en el lado de la montaña y sobre el altar. Le dijo que de éste surgirían pronto inofensivas llamas. Ella había danzado en esas llamas cinco mil años antes y éstas le habían proporcionado su inmortalidad física. Quería que su rey hiciera lo mismo; subiéndose después sobre el altar, mientras las llamas surgían para comenzar la danza, ella le invitó a unirse. Las llamas empezaban a lamer el altar y giraban alrededor de ella mientras que el rey contemplaba maravillado.

De repente, la reina lanzó un grito de horrible dolor. Sus ojos reflejaban un repentino terror. Antes de que el rey pudiera hacer ningún movimiento, ¡ella quedó congelada en su posición mientras las llamas la devoraban!

Me incliné todavía más hacia delante en mi butaca y reprimí un grito lleno de asombro. ¡Había atravesado la puerta del tiempo! Tenía ante mí ahora, en la pantalla y ante mis ojos físicos, tal como me había prometido mi alma, la misma visión exacta que había ocurrido diez años antes y que se estaba repitiendo. Las lágrimas afluyeron a mis ojos, cuando B. B., una despampanante belleza sólo unos segundos antes, era transformada en un harapo arrugado. Las llagas del tiempo, las transgresiones de todas las edades, se hacían visibles en su cuerpo. Poco a poco, todo el cuerpo se derrumbó, consumido en un montón de cenizas humeantes.

Mi corazón latía como una bomba. Al resto del público le pasaba inadvertido. Mis ojos vertían ríos de lágrimas, pero, interiormente, todo mi ser estaba sumergido en un divino éxtasis. Una interna alegría cantaba dentro de mi alma. La promesa hecha se había cumplido. Acababa de ver que la visión predicha hacía tiempo se repetía ante mis ojos. Era un augurio bienvenido el hecho de que mi reconciliación con Bonnie había sido restablecida.

Es curioso que pasase un largo periodo de tiempo. Mi carta no fue transmitida a Bonnie hasta dos años más tarde. Nada más leer la carta me llamó.

Su madre, June, me llamó en cuanto llegó mi carta y ella y mi suegro la leyeron. Me dijo que Bonnie acababa de aceptar una petición de matrimonio con un hombre muy agradable de una familia rica. Me dijo que el hombre con el que Bonnie se iba a casar era muy parecido a mí. Sin embargo, dijo que Bonnie nunca me había dejado de querer plenamente, y que si le hubiera dado a Bonnie mi carta en aquel momento, Bonnie probablemente no hubiera seguido adelante con su matrimonio. Me pidió pensar acerca de ello durante un tiempo y que le dijese mi decisión cuando estuviera listo. Ella haría lo que yo le pidiese.

Yo sabía que quería sólo lo mejor para Bonnie, y muy a mi pesar dije a June que esperase a que Bonnie estuviera casada antes de pasarle mi carta. Ella había esperado dos años, pero la comunicación le llegó a través del Universo Eléctrico, a pesar del gran periodo de tiempo transcurrido. Fue maravilloso hablar con Bonnie de nuevo. Permanecimos siendo amigos y nos vimos varias veces durante los años sucesivos. Murió muy joven de cáncer.

Como puede usted ver por lo que acabo de relatar, el tiempo no significa nada para el alma. El alma permanece en el Universo Magnético, por encima del tiempo, y cuando elevamos nuestra conciencia hasta nuestras almas, podemos contactar con nuestras parejas del alma.

Mi alma y su alma saben cómo situar a sus cuerpos en el lugar correcto en el momento adecuado. Usted y yo tenemos elección. Sólo necesitamos *desear* a alguien especial en nuestras vidas y convertirnos en alguien especial. *Ésta es la principal manera para que empiece una relación de pareja del alma.* Su deseo de unirse con su opuesto inicia la manifestación en los niveles de la realidad física.

¡Puede hacerlo! Lo que otros han hecho, o están haciendo, usted puede hacerlo. Yo puedo, lo he hecho, y usted puede hacerlo. Empiece ahora su propia gloriosa aventura. Desplace su conciencia al hecho trascendente de que usted es el dueño de su propio destino.

6

¿Qué está usted buscando?

¿Dónde, en medio de los infinitos destellos que alumbran los cielos de la vida,
se halla aquel que mi alma anhela y se consume por conocer?

Todos nosotros tenemos una imagen de nuestra pareja ideal más inmediata. Ese hombre o mujer en forma humana es una fuente de gran atracción para nuestras almas y nuestras mentes. Cada forma de vida que evoluciona está gobernada por ideales. Estos ideales nos proporcionan visiones de nuevos mundos para conquistar, nueva fuerza para superar viejas debilidades, una gama infinita de nuevas posibilidades que amplía nuestras mentes y nuestras voluntades. Los nuevos ideales nos proporcionan esperanza y anticipación gozosa de los días por venir.

Un individuo que crece conscientemente va de un ideal a otro: ésta es la marcha natural de la evolución de la conciencia y la forma que centra esa conciencia. Lo que empieza en la mente de Dios, del humano, el científico, el santo, el místico o el vidente es una idea que gradualmente se encarna en una forma material. La forma más elevada de esa idea conocida para nosotros es su ideal. La idea o la misión de algo más deseable va desde la mente hasta el gran computador humano llamado cerebro, llevado a la expresión por ondas de luz eléctrica. La variedad de formas físicas existentes hoy día en la Tierra son expresiones que alguna vez estuvieron contenidas en la mente como un ideal.

Como cada uno de nosotros buscamos a alguien especial en nuestras vidas, estamos motivados por una imagen de percepción ya impresa en nuestro ser. Si somos atraídos hacia hombres o mujeres morenos/as o rubios/as, de ojos negros o azules, es porque esa imagen se acerca *en ese momento* en nuestras vidas a nuestro ideal. Puede ser en un mes o en un año a partir de ahora. Así, cuando empezamos la búsqueda en serio de un igual que equilibre nuestras vidas, deberíamos ser suficientemente sabios para saber lo que estamos buscando. Deberíamos ser capaces de considerarlo por un momento y después sentarnos y escribirlo. Escribir exactamente qué apariencia, qué clase de temperamento, qué grado de espiritualidad, qué estatura, qué forma, qué tono de piel y cualquier otro atributo específico o aspecto que queremos ver en nuestro compañero del alma. De lo contrario, dibujar una imagen, preferiblemente en color, de ese alguien especial. Esa imagen vale más que mil palabras. Detállela lo más que sea posible: la forma de la cabeza, la longitud del pelo, el color de los ojos, etcétera.

Antes de que Pam llegase a Virginia Beach, yo había dibujado una figura muy semejante de su cabeza, perfil y longitud de pelo. A mí me gustan las mujeres con el pelo por los hombros o más largo. ¡Ella llegó con el pelo por los hombros justo como yo lo había dibujado! Sin embargo, en una semana cambió el «encargo» cortándose el pelo casi al cepillo. Yo me quedé asombrado y algo decepcionado cuando se presentó con su nueva imagen, pero me di cuenta de que necesitaba permitirle esa elección. ¡Estuve muy contento cuando ella se dejó crecer el pelo hasta los hombros de nuevo!

Recuerde que aquello en lo que se centre resueltamente con poder y determinación es lo que consigue. Practicaremos esta técnica de manifestación creativa trabajando a partir de imágenes conocidas y concretas en lugar de abstractas. Siempre es la manera más fácil de tener la visión, y manifestarla a continuación de ese deseo conocido a través de un intenso sentimiento y enfoque sobre él. Tiene un cianotipo con el que trabajar lo más semejante a un dibujo.

Existe otro enfoque más difícil, pero infinitamente más gratificante. En lugar de trabajar a partir de la estructura o de los rasgos específicos que son conocidos en el Universo Eléctrico, simplemente se centra dentro del Dios de su ser en el Universo Magnético e invoca a su exacto igual, alguien que está en el mismo momento de conciencia que usted, pero que usted desea que sea del sexo opuesto. Esa persona le reflejará todo lo que usted es. Ella o él le reflejarán perfectamente todas sus fuerzas o debilidades y sus mejores virtudes. Esta unidad es muy edificante. Sus propias cualidades divinas son reforzadas cuando las ve reflejadas. Refuerza su autoestima y confianza, teniendo así que sobrellevar menos culpabilidad y bagaje de poco valor de este estilo. Cuando ama y aprecia estas cualidades reflejadas en usted mismo, usted es capaz de amar y apreciarlas más en los demás. Y cuando ve una debilidad a través de un reflejo de su compañera del alma, finalmente se halla en una posición de reconocerla y de volverse más fuerte en ese aspecto. Si es ignorante, queriendo esto decir que no es consciente de ninguna limitación o falta, ¡no hay ninguna posibilidad de *re-forma*!

No estoy en absoluto de acuerdo con el concepto de que la ignorancia es felicidad. ¿Quién querría ese tipo de felicidad? La ignorancia simplemente lo mantiene en la oscuridad y lo mantiene innecesariamente limitado. La única persona que ha trascendido la ignorancia es alguien que ha ascendido. ¿Pero cuántas personas conoce que hayan ascendido? Hasta el momento, todos nosotros nos hallamos en diversos grados de ignorancia, aunque para algunas grandes personas, tal vez muy pocas, el grado de ignorancia puede ser casi indetectable.

No hay nada malo en la ignorancia si el ignorante está abierto a nuevas ideas. Ningún individuo sabio juzga la ignorancia de otra persona, porque esto es en sí mismo ser ignorante. Cada persona que encontramos en la vida es exactamente tan limitada o ilimitada como desea ser en ese momento. ¿Por qué debería nadie juzgar o arrojar piedras sobre alguien que está haciendo lo que quiere hacer a través de una elección divina? Sólo podemos hacer una cosa: permitírselo y seguir nuestro camino. A través del contacto cotidiano cercano con un igual, crece para nosotros la oportunidad de conocernos a nosotros mismos de una manera dinámica. Yo experimento este modo de conocer casi cada día, a veces varias veces al día. Un igual desconocido atraído a nosotros por nuestro deseo aportará una nueva y fresca conciencia en nuestras vidas.

Entra en el silencio de tu ser y siente qué es lo que deseas más en la pareja que está viniendo. Ahí es donde reside su poder y magnetismo de «hacerlo así». Si ya sabe específicamente lo que quiere, entonces siga todos los pasos expuestos en los siguientes capítulos. Cuando sepa que ya está ahí, es sólo una cuestión de tiempo. Se encuentra en el camino de tener en sus brazos muy pronto ese alguien especial específico. Si usted es uno de esos raros individuos que simplemente quiere que venga un espejo o igual desde el vacío desconocido, ¡entonces céntrese en eso! Puede elegir que se manifieste la mente concreta o la mente abstracta. La *mente concreta* está limitada al Universo Eléctrico de las cosas conocidas; se mueve como las ondas de luz de lo específico a lo específico. La *mente abstracta* funciona con el Universo Magnético, moviéndose directamente desde el todo hasta lo específico, produciéndose el movimiento de lo general a lo particular. La mente concreta toma cada cosa aparte, divide o separa el todo. La mente abstracta pone las cosas juntas, unifica y sintetiza todas las formas en una expresión tridimensional de la vida.

Si usted sólo tiene una pequeña compresión de cómo funciona esta dualidad de la mente, puede utilizarla como el instrumento creativo poderoso que fue diseñado para ser. El conocimiento siempre acelera y facilita cualquier proceso, mientras que la ignorancia avanza a tientas y a ciegas en busca de los resultados deseados. De la misma manera que se requiere un esfuerzo para mantenerse vivo, mientras que es fácil morir, se exige un esfuerzo para acumular sabiduría, mientras que no requiere ningún esfuerzo permanecer en la peor ignorancia inconsciente.

Cualquier idea de que su igual existe únicamente en un nivel es enteramente falsa. Existen varios puntos principales y que se pueden distinguir, o puntos de contacto entre sexos de polaridad opuesta. Por ejemplo: su pareja ideal podría tener un gran físico y tener muy buen parecido, y también ser extremamente neurótica y desequilibrada emocionalmente. Por otra parte, esa pareja podría tener una conciencia perfectamente equilibrada y centrada, tanto del punto de vista mental como emocional, pero poseer un cuerpo mal formado, o lo que podría considerarse rasgos no muy favorecidos o incluso feos. Igualmente, un hombre o mujer físicamente atractivos pueden tener una mente fría y materialista, es decir, ser de un «tipo frío». ¿Qué pasa si una persona tiene una personalidad maravillosamente integrada, un cuerpo atractivo y, además, sentimientos amorosos y cálidos y una gran inteligencia? A menos que esa descripción le siente perfectamente, esa pareja no es para usted. Su personalidad puede diferir de la suya. Sus valores o enfoque de la realidad pueden estar a años luz de los suyos. La diversidad en nuestro universo es maravillosamente infinita y con frecuencia única. Todos los ideales están en relación con quien los porta.

Lo más importante de valorar es el equilibrio o alineación. ¿Se armonizan sus energías con las suyas? ¿O están en conflicto? Cuando usted se encuentra en armonía o de acuerdo con otra persona, significa que ésta fluye en la misma línea de fuerza u onda energética. Están fluyendo juntos. Su movimiento codo a codo es en la misma dirección, no diagonal, ni en contra de las agujas de reloj o cruzada. Estas diferencias se manifiestan claramente a un observador con conocimiento.

Cuando tenga un intercambio equilibrado con otra persona, encontrará que un espíritu de armonía se desarrolla entre usted y esa pareja, amigo, extraño o persona querida. Cuando usted se encuentra en desequilibrio con otra persona, hay un desacuerdo, y el grado de descontento se convierte rápidamente en algo aparente.

La mayoría de aquellas personas que solamente nos atraen en el plano físico de la realidad, no son sino reflejos efímeros de nuestro gran ideal. Ésta es la razón por la que pocas de ellas mantienen una relación duradera con nosotros. Por razones veleidosas como ésta, una relación, amistad o romance puramente superficial sólo se conoce brevemente y se marchita. Lo que se manifiesta frecuentemente a primera vista como un ideal brillante puede muy pronto convertirse en un ídolo que ha perdido el brillo. El encanto superficial desaparece para mostrar que lo que pensábamos que era oro de ley o plata es simplemente plomo o cinc. Así pues, nuestras almas encajan otro fallo y otro recuerdo triste en nuestro recuento de vida.

Durante innumerables siglos hemos registrado recuerdos que fueron compartidos brevemente por un periodo de vida con parejas ideales. La mayoría de nosotros hemos tenido miles de miles de encuentros amorosos con el sexo opuesto a lo largo de miles de vidas humanas. Muchas veces, el mismo amante clave ha aparecido para compartir relaciones exquisitas con nuestra alma. Individual y colectivamente, todos estos recuerdos enormemente cargados generan mezclas de ideales a partir de ese gran depósito de recuerdos. Todas nuestras relaciones pasadas todavía se agitan dentro de nosotros, indeleblemente impresas y registradas en nuestras almas. Están para siempre en nuestros bancos de memoria consciente y supraconsciente, en los gases inertes del Universo Eléctrico.

Nuestra pareja del alma no es del mismo sexo que nosotros. En ninguna parte de la naturaleza existe esa posibilidad. Ese gran ideal solamente se encarna en la forma de nuestro sexo opuesto, manteniendo así la atracción para que nosotros nos fundamos con todo el ser, todo el yo, o el yo sagrado. De manera natural buscamos encontrar la complementariedad, o la unidad, con ese uno que es un espejo equivalente de nuestro propio ser.

El sexo es el sexo. Realmente no importa si la unificación sexual sucede entre un hombre y una mujer o entre dos átomos o dos sistemas solares. La relación sexual externa es sólo un reflejo de la unidad interna de toda la vida. El movimiento sexual es simplemente el esfuerzo natural o el deseo de ser uno con el otro. Esta extensión externa de la conciencia hacia cualquier forma ideal de vida, grande o pequeña, constituye la búsqueda eterna y el propósito activo hacia el Gran Ser. En el estremecedor acto de fusión o de llegar a ser más nosotros mismos, a través de cualquier acto natural de unión sentimos placer y un estado de ser más. Convertirse en una parte, o en menos del yo, naturalmente se siente como algo doloroso y restrictivo. Esta selección natural equilibrada de un ideal existe dentro de todas las dimensiones y reinos de la vida. Ésta es la razón por la que los pájaros conocen a los pájaros, los perros conocen a los perros, y cada cual busca su pareja. Si los pájaros y las abejas y las mariposas saben cómo hacerlo, ¡también usted lo sabe! ¡Sienta lo que desea y vaya a por ello!

7

¿Adónde mira usted?

¿Dónde está la otra parte de mí?
Miro arriba y abajo.
¿Dónde, oh, dónde iré?

Nuestros corazones lloran,
dónde, oh, está él o ella,
¡ésa mi pareja del alma esquiva!
Aquí y allí,
en el círculo y en el cuadrado.
¡Responde el Tiempo Guardián!

En primer lugar, para ser una pareja del alma, su pareja debe ser encontrada en el nivel del alma. Una vez que se establece el contacto en ese nivel a través del deseo, puede empezar a anticipar el plano externo o el contacto físico. La mente está en todas partes, así pues, en este punto inicial del deseo, él o ella está conectado/a usted. Queda establecida la intención del tiempo. El *acontecimiento* del tiempo debe de seguir como destino suyo.

Sin saberlo, damos más atención al problema en lugar de centrarnos en la solución. Cuando hacemos esto, siguiendo la ley universal, el problema se hace más grande. La concentración es lo que atrae el reforzamiento o la ampliación de cualquier cosa sobre la que nos enfoquemos. Entonces, ¿dónde se halla el centro de nuestra atención?

Si miramos hacia atrás en nuestras vidas, parece que hemos buscado en los cuatro rincones de la tierra, con una energía incesante y sin límite de tiempo, para encontrar esa pareja —hombre mujer— perfecta imaginada. ¿Dónde está ese chico o esa chica, ese hombre o esa mujer, que es el fin viviente de todos nuestros sueños, y nosotros para él o ella? La mayoría de los buscadores han explorado únicamente las tres dimensiones conocidas o los tres rincones de la tierra. Algunos, decepcionados y aturdidos por sus fracasos han abandonado su búsqueda. Otros continúan caminando penosa y persistentemente a la velocidad del asno. Los fracasos se han debido a no haber mirado en el cuarto rincón, la cuarta dimensión de la conciencia.

Es en este cuarto campo donde reside, sin duda alguna, la fuente y causa secreta de nuestra añoranza constante. Mientras tanto, nuestra búsqueda nos ha llevado a través de un laberinto de huellas, arriba y abajo, hacia delante y hacia atrás, cruzando muchos senderos y encrucijadas o autopistas y atajos de la tierra. ¡Muchos de estos viajes no nos han conducido absolutamente a ningún sitio! Hemos descubierto que cada nueva senda recién encontrada finalizaba en lo alto de la primera subida, o se perdía en los valles de la tristeza. No obstante, nuestra búsqueda aparentemente sin esperanza, siempre anhelante, siempre abrasadora, continúa. Esta cuestión eternamente persistente asalta y tortura nuestras mentes. ¿Existe realmente él o ella?

¡Sí! Él o ella le están esperando. En alguna parte hay alguien que está ahora perfectamente interconectado con su propio y único destino. Él o ella es alguien precioso para usted, alguien con quien experimentará horas de increíble alegría o felicidad, cuando su deseo arda con suficiente fuerza para unirlos. Lo semejante atrae a lo semejante. Lo opuesto no se atrae. Esto constituye una imposibilidad de la naturaleza. ¡Los opuestos únicamente se oponen!

Estos cuatro rincones, cuatro puntos de la naturaleza, y cuatro puntos del contacto entre sexos —las naturalezas física, mental, emocional, y del alma— se funden, o se multiplican y dividen, en un quinto punto en el que preside el espíritu. Así lo múltiple hace referencia a los seres humanos como estrellas de cinco puntas.

Los tres puntos más poderosos de contacto entre cualquier entidad humana se hallan entre espíritu y espíritu, alma y alma, y personalidad y personalidad, y en ese orden. La compatibilidad en cualquiera de estos primeros dos niveles mantiene a una relación con fuerza. Puesto que las personalidades son volubles, la falta de unidad puede surgir y destruir rápidamente lo que parecía ser una buena relación por momentos. El amor condicional encuentra muy fácil convertirse en odio por ignorancia. Cualquiera de los tres campos de contacto sexual menores —comunicación mental, emocional o física— son todavía lazos más frágiles. El contacto de almas gemelas es intensamente poderoso, pero parece que sólo se produce cuando esa pareja única de compañeros están en su última vida, cuando se produce la *ascensión*. Esto se ampliará en un capítulo posterior.

El punto que se está estableciendo aquí para usted ahora es que cada punto añadido de contacto sexual entre usted mismo y su igual aumenta el equilibrio compartido, y consiguientemente la alegría y la felicidad experimentada entre los dos. De ello sigue que cuando dos de estos principales puntos sexuales están alineados entre compañeros del alma, su unión o matrimonio será fuerte y duradera. Se han unificado y, de esta manera, redoblado sus sentimientos de ampliación a través de su espejo íntimo de semejanza. ¿Puede usted imaginar el puro éxtasis que podrían experimentar los dos miembros de una pareja, si todos estos puntos eléctricos y magnéticos de contacto estuvieran equilibrados entre sí? ¡Se conoce como el cielo y la Tierra!

Es muy raro encontrar más de uno (y con frecuencia no se encuentra ninguno) de estos posibles puntos de equilibrio o unión en línea entre los componentes del matrimonio durante nuestra presente Era de Mortandad. Esto explica muy claramente por qué los matrimonios sin una base sólida de comunicación, o intercambio equilibrado, se deshacen tan rápidamente. Si, por otra parte, se mantienen juntos (en una alianza profana) a causa de las exigencias sociales o de otras presiones mundanas, ¡entonces ese llamado matrimonio es un infierno en la Tierra! Los matrimonios deben mantenerse juntos porque se ha hecho un pacto sagrado entre el Dios de su ser y el Dios del ser de su pareja matrimonial. Todos los votos son sagrados para el alma. Ésta es la razón por la que en todas las civilizaciones avanzadas, aunque no en una tan degradada como la nuestra, se adopta una gran precaución para asegurar la selección de un esposo o esposa ¡con el que uno se compromete para toda la vida! El único verdadero matrimonio que existe es el natural, fundado en el amor, entre cualquiera de los puntos básicos de contacto entre usted y su pareja. Cualquier otra definición por la Iglesia o el Estado es frecuentemente un insulto a nuestra inteligencia. ¡Ningún contrato sobre el papel, que contenga todas las palabras y promesas del mundo, mantendrá lo que se pone junto con ignorancia y se decreta o se ordena como un «matrimonio sagrado»! El matrimonio es sagrado porque usted y su pareja lo han hecho así.

Lo maravilloso acerca del nuevo conocimiento es que abre nuevas puertas y nuevas posibilidades. Cuando un público educado puede hacerse consciente de estos lugares de encuentro sexual principales y secundarios entre las personas, los compañeros del alma conocerán y buscarán únicamente a sus iguales, y los matrimonios empezarán a durar para toda la vida una vez más.

Una vez que sabemos lo que estamos buscando, encontraremos el éxito. El no saber conduce hacia la misma vieja oscuridad ciega y errante. Lo que se necesita es una dirección inteligente, la clara luz del conocimiento para acelerarnos en nuestro camino. Lo que parecía una larga y tortuosa senda que no tenía fin será enormemente acortada al descubrir y aplicar las técnicas probadas de manifestación que nos ayudan en nuestro camino.

El sexo —una palabra de únicamente cuatro letras— contiene mucho más significado que las salvajes anchuras, extensiones y profundidades de nuestras imaginaciones. Sin sexo, la forma física no existiría. Todo nuestro universo ¡no existiría! En toda nuestra vasta realidad aparente, únicamente el sexo, o la polaridad dual, hace que la existencia sea posible. El sexo existe en todos los planos y en todas las dimensiones; hay sexo mental, sexo emocional, lo mismo que sexo físico universal.

No es irracional ser ordenado inteligentemente o ser científico en su búsqueda que ya es emocional, de un igual, o del compañero del alma, especialmente cuando sabe qué desavenidos están la mayoría de los matrimonios hoy día. Mis propios matrimonios en el pasado finalizaron a causa de mis propias ignorancias del pasado. Agradezco a Dios en lo alto de los cielos y en las profundidades de mi ser el conocer actualmente el valor verdaderamente sagrado de mi matrimonio. Estas nuevas percepciones le permitirán ver lo racional de aplicar un pensamiento y un sentimiento cuidadosos en la búsqueda de su pareja. ¡Cuándo usted sabe lo que quiere, y dónde ir, no tiene más remedio que conseguirlo!

¡Mire antes de saltar! La persona maravillosa que se halla ante usted puede ser maravillosamente compatible en los niveles físicos, pero demasiado fría o reservada para usted en los niveles mental y emocional, o viceversa. Puede que le vaya muy bien con alguien en el nivel de la personalidad, pero puede que tenga dificultades con esa persona con un objetivo del alma. Una persona sensata utiliza todo el conocimiento posible para asegurarse de que ella o él invoca y alinea el ser con el semejante amado. ¡Mantenga los ojos bien abiertos!

Elimine la emoción ciega conducida por el deseo, o la acción que le mantiene dando vueltas en círculos. Sin embargo, busque y encontrará. No obstante, toda búsqueda *implica en primer lugar conocer*, lo cual equivale a la inteligencia activa.

Existen muchos campos desconectados y no tocados de conciencia entre usted y su alguien especial. Cómo descubrir y llenar esos vacíos con intercambios iguales y equilibrados es asunto suyo. Yo sé que es posible hacer un puente de un nivel a otro si el deseo, el carácter y el amor del ser son suficientemente fuertes.

El lugar más obvio para encontrar a su pareja del alma es en el campo íntimo de su vida diaria, mientras trabaja, estudia o se divierte. Una vez que su contacto interno se ha fundido con su fuerte deseo, todas las cosas externas que haga magnéticamente atraen a su amado/a hacia usted. Ese igual inevitablemente oirá su llamada y será atraído a la red de su acción mientras continúa con sus asuntos diarios. Ésta ha sido mi experiencia, al igual que la experiencia de aquellas personas que conozco que están hoy día emparejadas con sus compañeros/as del alma. Nos encontramos unos a otros en el momento más inesperado. El encuentro ocurrió mientras ambos estábamos diligentemente ocupados en nuestra actividad y productividad diaria. *¡La acción alimenta a la acción!*

Mientras que usted y yo estamos ocupados en lo que estamos haciendo, tenemos una buena oportunidad de encontrar a nuestra pareja del alma en la encrucijada adecuada, que justamente está haciendo lo mismo. A través de la actividad recíproca en el mismo tiempo y en el mismo lugar, un encuentro, una fusión, o una cohesión entre su pareja del alma y usted mismo debe emerger. El esfuerzo físico hecho para llegar aquí y allí con un motivo impulsador de encontrar a su pareja del alma ¡es un puro derroche de tiempo! Todos esos círculos inútiles realmente aplazan su encuentro.

En los círculos místicos hay un dicho que reza: «La mente es la asesina de lo real.» Estamos hablando de la mente—mono reflexiva, eléctrica, que sólo parece estar pensando. ¡Conoce primero, actúa después! Cuando la mente física concreta planea que usted busque aquí y allá, usted está haciendo lo que *piensa* en lugar de lo que *conoce*. En lugar de estar donde se encontraría de acuerdo con su flujo natural, sigue las ilusiones arteras y seductoras de su mente. Se lleva a usted mismo acá y allá en una intensa búsqueda de ese lugar o tiempo en el que podría de repente encontrar a la persona amada. Esta clase de pensamiento únicamente le coloca tras falsas pistas y deja detrás su sendero natural.

Cuando seguimos a la mente concreta que de manera innata da vueltas sobre sí misma, perdemos temporalmente el contacto con nuestra alma o ser que sabe. Entonces nos quedamos perdidos en esos sentidos en donde prevalecen la ilusión y la oscuridad. La mente-mono no sabe, pero el espíritu siempre conoce nuestro propio movimiento mejor. Una persona agudamente conectada se mueve sin duda para hacer lo que necesita ser hecho a continuación. El sentimiento o la respuesta correcta normalmente es siempre la primera que llega a la conciencia. Ese sentimiento no tiene una mente juzgadora que crea dudas o miedos en la imagen. Esto sólo sucede después de que llega la primera toma de conciencia o idea.

Cuando hacemos lo que sabemos que deseamos hacer, estamos haciendo lo que nos llega de manera natural. En ese mismo momento, si nuestra pareja del alma también ha dejado de seguir a la mente-mono que se agita como una abeja, y que está ocupada siguiendo sus propios asuntos, ella convergerá normalmente en nuestro campo eléctrico de conciencia, o viceversa. Las líneas convergentes de acción se encontrarán más tarde.

Todos los movimientos verticales o internos encuentran su camino hacia el plano exterior en una línea directa que desciende desde el Estado de Unidad al Estado de Unidad, de espíritu a espíritu, de alma a alma, de personalidad a personalidad, de mente a mente, de sentimiento a sentimiento y que converge igualmente de entorno físico a entorno físico. ¡Bingo! Si cualquiera de estos iguales o parejas del alma se desvía o pierde la conexión en esta línea natural interna hacia la línea externa de descenso, también perderá la conexión o fusión con el homólogo. Siempre interviene el libre albedrío.

Mientras esté todavía dando vueltas y vueltas en círculos sin sentido que no llevan a ninguna parte, no existen muchas posibilidades de alineamiento o contacto entre almas iguales o hermanas en los niveles físicos. Siempre es el acto de *ser sí mismo* el que permite a su alma tomar un control silencioso y tranquilo. Ella es, entonces, su influencia conductora constante y segura. Usted es lo que es en la conciencia, y eso es lo que es también su pareja del alma. Son las cualidades que ambos tienen en común las que le atraerán recíprocamente, ya sea usted el homólogo masculino o femenino del otro.

¿Dónde debo buscar? ¿Cómo encontraré y conoceré a mi pareja del alma? Éstas son las cuestiones más solicitadas con las que me he encontrado. También estuvieron una vez en mi mente. Yo no encontré mi «sola y única» pareja hasta que yo mismo estuve conscientemente despierto y listo para ese encuentro. Incluso entonces fue algo inesperado.

Si trabaja, puede estar seguro de que Dios hará su parte. ¡*Pero no lo hará por usted*! Ese gran encuentro con la persona amada únicamente ocurrirá cuando haya tomado una decisión consciente de «dejar de jugar». En el momento en que sepa, más allá de cualquier duda o temor, que desea dar todo su amor y el compromiso de su vida a su ideal divino, ¡él o ella aparecerá en su vida!

Mientras escribía este capítulo, un estupendo amigo íntimo me preguntó mi opinión respecto a cómo encontrar su pareja del alma. Sabiendo su manera de comportarse, le expliqué que necesitaría dejar su amplio harén de bellezas detrás y dejar de jugar. Entonces admitió que prefería su vida de variedad más que la idea de un ideal. Quería cortejar y poseer a su pareja del alma de manera temporal. Me recordó al «joven rico» que, cuando Sananda le dijo hace dos mil años: «Deja tus posesiones mundanas y sígueme», se marchó con tristeza. Amaba a sus posesiones demasiado para partir con él y entonces no fue digno de entrar en el reino de los cielos.

Mi muy querido amigo no encontrará a su pareja del alma mientras que mantenga esa actitud. Quería una pareja del alma «únicamente por un mes o dos» tal como él lo decía. El yo interno es constante y tenaz. No es voluble, ni se interesa ni está atraído por las cosas pasajeras.

Una indicación casi segura de que su alma está empezando a tener una importancia fundamental en usted es cuando se despierta en usted un repentino sentido nuevo de responsabilidad y compromiso hacia ideales más grandes. Esto no quiere decir que mi amigo no tenga alma. Obviamente no posee el sentimiento de la pareja, pero posee un gran encanto humano y la fuerza del alma en casi todos los demás campos. Por el momento, su *álter ego*, o personalidad, está deliberadamente bloqueando la fuerza del alma que se requiere para manifestar su homónimo en su vida. Cuando escoja y esté listo para vivir una vida de compromiso plena y alegre en monogamia con su propio gran ideal, ella aparecerá.

Mientras tanto, mi amigo admite cándidamente que sus aventuras sexuales continuas que le comprometen físicamente están casi totalmente desprovistas de amor durante o después del acto sexual. También admite que sus novias llenan convenientemente sus impulsos sexuales para satisfacer sus sentimientos de lujuria. Sabe que los sentimientos más profundos y divinos que satisfacen el alma, y que profundamente añora, están ausentes en sus relaciones. Es obvio que, por este momento de su vida, prefiere alimentarse y agarrarse a sus posesiones de carne y hueso a expensas de una gran hambre espiritual dolorosa que continúa sin ser saciada.

Pregúntese usted ahora: ¿Está verdaderamente listo para encontrar a su pareja del alma? ¡Asegúrese de que se da la verdadera respuesta! ¿Es usted la clase de persona con la que se gustaría encontrar al salir de la puerta ahora? ¿Es usted alguien que su homólogo amado amaría y respetaría inmediatamente? Si no es así, ¿por qué no? Su falta de preparación para un homólogo, por su incapacidad de amarse a sí mismo mantendrá la puerta firmemente cerrada entre usted y la persona que quiere encontrar en el nivel del alma. ¡Esta puerta solamente puede ser abierta desde dentro por usted mismo!

En realidad, su pareja del alma es un/a compañero/a del sexo opuesto que *le* ayuda a tener más equilibrio y satisfacción. Es un perfecto espejo. Sus otras relaciones más adelante se desharán. Únicamente ese vínculo humano—divino encontrado en el nivel del alma se mantiene y persiste a través de la enfermedad y de la salud, de la prosperidad y de la adversidad. ¡Ése es el matrimonio real!

Repito que la cuarta dimensión posee la clave de nuestra búsqueda de una pareja del alma. Las parejas físicas se encuentran en el nivel físico. Las parejas emocionales se encuentran en el nivel emocional, pero las parejas del alma se encuentran y se funden recíprocamente como almas vivas extáticas, creativas y que evolucionan. ¿Cómo podría usted y cualquiera esperar poder encontrar a su pareja del alma en un grado inferior de vida? Sólo sus sentimientos y pensamientos más elevados y sus acciones vivas pueden conmover el alma de un homólogo a una respuesta recíproca y equilibrada. Ojalá pueda usted elevarse y alcanzar esas alturas dentro de usted, ¡en dónde aparezca la persona amada!

8

La ley de la atracción magnética

Bajo las alturas del cielo,
o en medio de las profundidades del agua,
ardiendo con el fuego del deseo,
ven, ven a mí.

El Universo Magnético es la causa de todos los efectos de dualidad que vemos y experimentamos en nuestro Universo Eléctrico tridimensional. Su pareja del alma es atraída hacia usted porque ambos irradian las mismas cualidades magnéticas. Lo semejante siempre busca lo semejante, de otra manera un puñado de arena nunca podría formarse. La persona que es como usted está atraída hacia usted de una manera natural, y viceversa. Esta fuerza de atracción conducirá a su pareja del alma hacia usted o le conducirá a usted hacia esa persona, en algún punto y tiempo del espacio, exactamente lo mismo que los granos de arena encuentran su afinidad juntos.

La misma naturaleza de la conciencia proporciona un vínculo interno entre nosotros y otros seres del pasado o del presente relacionados con nosotros. Cada día, más gente está empezando a darse cuenta de que los pensamientos están vivos y tienen poder. Literalmente creamos cada entorno que nuestra conciencia activa percibe ante nosotros. Existe una potencialidad enormemente poderosa en cada pensamiento sobre el que nos centramos dentro de nuestro campo de fuerza o aura. Posteriormente nos convertimos en lo que pensamos y hacemos. Nuestra fuerza del alma, o espíritu, posee el poder infinito de transformar nuestras condiciones de vida de mejor a mejor o para peor. Un solo pensamiento es suficientemente poderoso para cambiar la química de nuestros cuerpos físicos de lo alcalino a lo ácido, y atraer una enfermedad mortal. Ese poder ha sido siempre innato y casi totalmente desconocido o ignorado por nosotros. ¡Ya es hora de despertar!

En un capítulo previo revelé mis propias experiencias personales con Bonnie cuando la fuerza de mi alma me llevó corporalmente en yuxtaposición con ciertos acontecimientos del plano externo que habían sido preordenados y previstos por mi mente consciente diez años antes de dicho acontecimiento. Mi cuerpo físico fue controlado y puesto en el lugar exacto, en el momento exacto, de manera que tenía que encontrar el destino de esa sobrecogedora experiencia, tal como mi alma había predicho a mi mente ¡una década antes!

Nuestras almas son todopoderosas cuando llegan a controlar cualquier división de los tres aspectos de la personalidad. Su propia mente poderosa permanece detrás y con esa alma suya. Cuando tiene certeza dentro de su alma de que está verdaderamente preparado para encontrar físicamente a su pareja del alma, entonces, en alguna parte, de alguna manera, en algún momento del plano físico la encontrará. Si él o ella no está suficientemente preparado/a para hacer una conexión física externa con usted, su determinación firme y centrada puede ayudar a acelerar el proceso. El fuego de la mente realmente quema todos los obstáculos existentes entre usted y sus amados/as. Junto con la mente, no hay nada en este mundo tan fuerte y potente como el deseo emocional alimentado por la llama del amor y la inspiración superiores. Cuando todo su ser anhela y arde por estar con ese homólogo que le espera ansiosamente, su posibilidad de ese maravilloso encuentro obtiene un poder ilimitado. Al igual que mi querido amigo, esto significa para usted que debe apartar su mente de la multiplicidad en la plaza del mercado y centrarse en una sola persona. ¿Puede usted hacerlo? Si puede, la ley funcionará para usted y su pareja del alma será atraída a su presencia viva.

Cada átomo y partícula, cada punto grande o pequeño de conciencia, está gobernado por ley. Hemos aprendido sobre algunas de estas leyes en la escuela. Los seres humanos han formulado o elaborado ciertas leyes en fórmulas. Gobiernan nuestras vidas —aun siendo limitadas y a veces injustas, gobiernan la física, la química, las matemáticas, la óptica y otras ciencias de estructura o forma—, aunque muchas son falsas.

Puesto que todas las cosas deben de tener una fuente de «entrada» en la existencia física, ¿de dónde proceden estas leyes? Todas ellas emergen a nuestra conciencia por medio de la mente, empezando como ideas. Si son formuladas correctamente, estas leyes quedan establecidas bajo la categoría apropiada. Son leyes porque pueden demostrar interminablemente que producen los mismos resultados bajo las mismas acciones. Muchas mentes humanas se han esforzado en producir cada una de estas llamadas leyes supercomplejas de la ciencia de hoy día. Pero estas leyes están basadas en las ilusiones de los sentidos y han mantenido a la gente ignorante a lo largo de los siglos.

Por otra parte, unas pocas mentes investigadoras descubrieron algunas leyes inmutables, específicas y exactas de la naturaleza, relativas a la más pequeña partícula o al más vasto universo. En otros planetas, hace miles de millones de años, estas leyes ya habían sido conocidas y llevadas a planetas que tenían humanos como nuestra Tierra. La forma de ciencia trascendida, no obstante, incluyó por naturaleza toda la estructura. Estos científicos de la vida, místicos, santos, sabios o videntes, hicieron todo el esfuerzo que pudieron para informar a las masas acerca de estas leyes. A veces se les ha llamado los misterios o la ciencia de la vida. La ley del Universo Magnético es la principal ley universal específica de la vida. Es su conocimiento y la utilización de estas leyes lo que le permiten a usted, así como a cualquier otro hombre o mujer, centrarse conscientemente y atraer la pareja del alma hacia usted o hacia ellos. En el Universo Magnético solamente existe la unidad. ¡Todos los puntos del espacio son simultáneos!*

Se supone, según las teorías actuales, que los opuestos se atraen entre sí; es por esto por lo que se dice que la mujer es atraída por el hombre, y viceversa. No. Absolutamente, no. Los opuestos sólo se oponen. Sin embargo, lo semejante siempre es atraído por lo semejante. Nos gustan aquellas personas que piensan y sienten como pensamos y sentimos y rechazamos a aquellas que no lo hacen. «Los pájaros de la misma pluma vuelan en bandada.» Este viejo axioma cubre

---

* Para los lectores interesados en leer más sobre estas teorías, el autor les permite a los *Pleiadian Documents*, publicados por America West Publishers, PO, Box 986, Tehachapi, CA 93581. En mi opinión, contiene el mayor conocimiento reunido en la Tierra. Titulado *The Pleiades Connection*, la obra se compone de ocho volúmenes. Escriba para obtener el catálogo de precios. También puede obtener una muestra gratuita de su boletín, *The Phoenix Liberator*, que se publica semanalmente.

este aspecto de la ley de la atracción. Su pareja del alma es como usted Él o ella tiene cierto tono, cuerda o nota que suena en la misma clave en su conciencia.

¿Dónde está él o ella en este momento? ¡Sólo a un pensamiento de distancia! Él o ella también está buscando la manera o medio de estar con usted. Será el trabajo de la ley de la atracción magnética la que acelerará ese momento eléctrico en el que puedan mirarse mutuamente a los ojos y sumergirse gozosamente en las profundidades de sus respectivas almas, conociendo, reconociendo y exaltando el hecho de que ambos están finalmente juntos como una sola persona.

Nunca subestime el gran valor de *conocer* y después de trabajar con las poderosas leyes de la naturaleza. Cada una de estas leyes es continua e inmutable. Una ley puede ser utilizada para anular o eliminar a otra. La ley de la gravedad nos ha mantenido unidos a la tierra por algún tiempo, pero conociendo y utilizando la ley de la aerodinámica podemos ahora elevarnos por el aire más rápido que cualquiera de los pájaros que vuelan alto. La gran ley de la aerodinámica siempre ha estado ahí en la naturaleza esperando pacientemente para que nosotros tomásemos conciencia de ella y la utilizásemos, siendo desde siempre parte de la ciencia de la vida. Pero, sólo cuando ha sido conocida y traída a la existencia tridimensional por la mente y puesta en una fórmula específica, en la ciencia formal de la que forma parte, y después utilizada, se produjeron esos aeroplanos, cohetes y naves espaciales y otros vehículos aéreos.

Esas poderosas leyes han existido siempre. Nuestro gobierno del mundo interno secreto no sólo las conoce, sino que las utiliza para controlar nuestras vidas. Las leyes pueden ser utilizadas para construir o para destruir. La vida de toda la humanidad ha sido puesta en peligro en este momento por su mala utilización.

El conocimiento de ciertas leyes puede ser aplicado para acelerar su encuentro físico con su pareja del alma. Puede utilizarse la siguiente ley importante y muy fundamental por cualquiera: *La energía sigue al pensamiento*. Toda la energía brota del Universo Magnético mediante el pensamiento. La energía asegura el crecimiento de usted mismo o de cualquier idea. Ninguna energía puede igualarse con la muerte.

Si desea atraer a su pareja del alma, el proceso puede compararse a estar perdido en la naturaleza salvaje y hacer un fuego para atraer la atención de otros humanos. Cuanto más leña o energía añada al fuego, mayor será el resplandor y el humo que consiga hasta que pueda ser visto a muchos kilómetros de distancia y pueda atraer otro par de ojos humanos a su situación. Mediante el mismo proceso, a medida que aumenta el fuego del deseo en su mente y en su alma, más posibilidades existirán de atraer el objeto de su deseo, cuando éste se intensifica de manera radiante. ¡Existe una relación directa entre la velocidad a la que una idea o deseo se concretan y la intensidad que tienen dentro!

La presión eléctrica de ser caliente o frío le hace a usted atractivo o repulsivo. Estas actitudes o polaridades son igualmente eficaces al atraer a alguien a usted o para alejarlos. El tiempo o la distancia no tienen importancia, puesto que la posición del Universo Magnético anula tanto el tiempo como el espacio. Si a usted no le importa el que aparezca o no su pareja del alma, entonces la misma frialdad de su actitud la mantiene alejada y a una distancia ajena de usted y de su señal. Por otra parte, dando energía a la idea de estar con ese alguien especial que es su homólogo, realmente puede crear un sendero vivo de conciencia entre usted y esa alma humana única que tanto le atrae en sus gustos por una esencia masculina o femenina. Es importante saber que la energía sigue al pensamiento. Ahora puede acelerar a sabiendas lo que desea. Es algo simple. La técnica consiste en pensar más y de una manera focalizada, proporcionando un deseo más concentrado o un sentimiento más energético de lo que quiere.

Una vez que ha intensificado o centrado su energía hacia su pareja del alma, la ley de la Atracción Magnética empieza inmediatamente a funcionar en usted para convertir su sueño en realidad. No tiene ninguna importancia donde viva la persona que ama. Él o ella reaccionará automáticamente y responderá a su nuevo estado de conciencia y avanzará físicamente hacia usted. Usted ha abierto la puerta entre su amado/a y usted mismo, y un feliz día él o ella se cruzará en su vida. Una puerta abierta en la conciencia abre las puertas equivalentes tridimensionales.

Otra ley pertinente de la Ciencia de la Vida es: *La forma debe adecuarse a la conciencia.* Ésta es la razón por la que son muy válidas las expresiones que oímos como «conciencia de pobreza» o «conciencia de prosperidad». Cualquier de estos dos opuestos que usted o yo tengamos durante la mayoría de nuestras horas de vigilia reproducen fielmente ese estado a un nivel físico en su vida y en la mía. La forma debe adecuarse a la conciencia. ¡Es la ley!

La cuestión más importante para usted ahora es si realmente quiere estar con su pareja del alma lo más pronto posible. Si su respuesta es sí, entonces haga que su deseo se convierta en realidad dentro de un periodo de tiempo escogido por usted. Es su periodo de tiempo; es su elección. En lugar de quedarse predestinado y atado por los patrones limitados existentes, ¡usted cambia el futuro para que sea el que ha elegido y, de esta manera, usted se ha predestinado por su propia intervención divina.

La ley funciona cuando usted la trabaja. Si desea tener la experiencia de su pareja del alma a un nivel superior al mental, emocional o físico, debe especificar su objetivo claramente. Entonces su punto de enfoque concentrado produce un resultado físico. De otra manera, su deseo permanece en el plano mental y funciona únicamente en sus ensoñaciones diurnas o en sus sueños cuando está dormido. En usted se encuentra el punto de partida para un resultado magnífico plenamente corporal. Todos los métodos de cómo hacerlo se exponen en este libro. ¿Exactamente qué clase de hombre o mujer está buscando? ¿Qué está haciendo para encontrarlo? Escríbalo ahora. ¿Tiene algo mejor que hacer? ¡Le deseo buena suerte en su emprendedor camino!

9

La preparación
de una propia imagen receptiva

¿Dónde está mi otro yo?
Sigo buscándolo.
¿Adónde fui?

Dependiendo del estado de la autoimagen que tenga ahora, éste puede ser el capítulo más importante de este libro. La imagen que tiene de usted mismo determina su éxito o su fracaso en cualquier cosa. Considérelo un instante. ¿Qué piensa realmente de sí mismo? *¿Se gusta usted a sí mismo?* ¿Puede pensar en sí mismo como alguien que tiene éxito en todos o casi todos los objetivos, o la idea de que usted no puede hacerlo domina sus pensamientos conscientes? Toda mujer o todo hombre que logra atraer un/a compañero/a del alma a su vida es una persona con una buena autoimagen.

Es también la clase de persona que hace cosas. Ella o él es un «realizador», una persona que hace que los deseos se hagan realidad actuando sobre ellos.

Si ha aceptado una idea de inferioridad en relación a su apariencia, a sus talentos, o su capacidad de hacer amigos y de conservarlos, entonces es mejor que se detenga y vuelva a considerar su posición. Esté seguro de que, en muchos aspectos, usted es extraordinario. Es diferente. No hay ni un solo ser en el universo exactamente como usted. ¡Tiene usted talentos innatos y nuevos enfoques de la realidad que nadie puede igualar!

Sepa que cada alma en forma humana es divina. Algunas almas humanas muestran la irradiación de identidad y dignidad con más claridad que otras; es su momento. ¡El suyo se halla únicamente a un pensamiento y a una acción de distancia!

Es un enorme tópico, pero usted no tiene más limitaciones que las que haya aceptado y se haya impuesto a sí mismo. La misma verdad se aplica para uno mismo y para todos los seres humanos en cualquier parte del universo. Sus creencias ayudan a crear toda la aparente realidad que experimente y no hay excepciones. De nuevo, ésta es una de las leyes universales de la naturaleza que funciona dentro de todos nosotros.

¿Quiere saber realmente qué creencias mantiene escondidas dentro de usted? ¡Muy pocos humanos lo hacen! Cuanto antes examinemos y descartemos las falsas creencias que mantenemos sobre nosotros mismos y la aparente realidad que nos rodea, antes desaparecerán nuestras limitaciones. ¡La verdad nos hace libres!

Afronte y olvide lo que ha creído erróneamente durante tanto tiempo. Seguramente, un día no muy lejano sabrá que puede llamar y utilizar el poder del universo entero para hacer que sus sueños se hagan realidad. Todo el conocimiento y el poder está libremente disponible para cualquier simple Yo fragmentado del YO. ¡Dios entra ahora en usted¡ Es únicamente a través de Dios como usted vive, actúa y tiene su ser. La Tierra y todos los demás mundos pueden ir y venir diez trillones de veces, ¡pero usted siempre será! usted está en su centro más que ninguna parte de la realidad, usted es *toda* ella. Es superior a todas las cosas. Puede tomar su lugar en su centro y moldear y recrear mundos, Así pues, ¿por qué acepta cualquier creencia que le permita menos?

El poder de un simple pensamiento es inmenso. ¡Su creencia es suficientemente poderosa para hacer que sus mundos aparezcan o desaparezcan! La parte triste es una creencia falsa de limitación que precisamente le limita a usted, la persona que tiene ese pensamiento.

En una realidad limitada tridimensional, una falsa creencia es tan poderosa como una creencia verdadera. Sin embargo, en el momento en que deja de dar fuerza —esto quiere decir dar su energía o atención debida— a una falsa creencia, ésta deja de tener ningún poder sobre usted o sobre sus asuntos cotidianos. La energía sigue al pensamiento, así que aquello a lo que da vida vive dentro de usted y de su mundo. Por otra parte, aquello a lo que deje de dar vida debe morir en su realidad y mundo conscientes.

Cada simple ser humano en este universo majestuoso ha sido dotado del don único de la libre elección. ¡Qué increíble don divino, pues nos hace cocreadores iguales a Dios! A causa de la libre elección, cada uno de nosotros vivimos en la clase de mundo que hemos elegido vivir. Es únicamente mi creencia o conocimiento el que produce mis pensamientos y sus sentimientos correspondientes limitados o ilimitados, mi cuerpo físico autocreado limitado o ilimitado, y mi mundo físico autocreado limitado o ilimitado en el que me encuentro. La misma afirmación puede aplicarse a usted mismo. Usted crea su actitud, su cuerpo, su mundo para lo mejor, lo no tan bueno o lo peor.

¿Por qué tienen las creencias tanto poder? Porque proceden de ideas y pensamientos que constituyen el origen primario de toda realidad que somos capaces de conocer y experimentar. Una creencia se fija en una realidad tridimensional desde cualquier extremo de su dualidad. Un extremo, o una cara, está polarizada en dos creencias o conocimientos, y la otra cara dentro de este par de efectos ¡es la cara del miedo o de la duda! Cualquiera de estos dos estados igualmente fuertes y eléctricos de conciencia son capaces de modificar y cambiar nuestro mundo. El miedo es tan poderoso como la fe. Cualquiera de los dos estados trae igualmente la construcción o la destrucción.

Recuerde, la energía sigue al pensamiento. Tenga cuidado de lo que teme porque su miedo puede hacerlo convertirse en realidad. El saber esto, ¿no nos inducirá a dejar de dar preciosa energía de vida a los antiguos hábitos de alimentar miedos tontos? Dios nos dotó de la invalorable libertad de elección. Cuando sabe la diferencia entre las dos caras de la fe y del miedo, ¿elegirá permanecer temeroso? Nuestro centro de atención merece estar en una mente abierta, no en una mente cerrada, en buenos y productivos pensamientos y sentimientos, no en miedos y dudas autodestructivas, aburridas y persistentes.

¡*Cese de luchar consigo mismo*! La paz no viene de odiar a la guerra. Esto sólo añade más odio a la vida. La paz viene de amar a la paz. Póngase ante el sobrecogedor espejo de su conciencia. ¡Dése la orden de que usted no es débil! ¡No es usted inferior! ¡No es inadecuado! Deben dejarse detrás todas estas falsas creencias. No les dé más energía ni siquiera negándolas. Sepa simplemente que han sido falsos juicios asumidos que usted tenía sobre sí mismo en el pasado. Estas experiencias negativas pertenecen únicamente al pasado. Ahora sabe más. Déjelas que sirvan sólo como lecciones válidas. No se arrepienta de lo que ha hecho en el pasado con ignorancia e inocencia. La lección era ¡*no lo haga de nuevo*! En vez de ello, dé las gracias por lo sabio que es ahora.

Si cree profundamente que es un perdedor, o una persona débil e inferior, o inadecuada de alguna manera, sus experiencias más concretas y prácticas lo reflejarán. Ha aprendido, o está aprendiendo ahora a través de la experiencia, que sus creencias —verdaderas o falsas— tienen un gran poder. ¿Por qué no hacer entonces un pacto con usted mismo ahora? Cuestione cada simple creencia que una vez tuvo o que tiene ahora, al igual que todas las que llegan de nuevo. Si lo hace, utilizando su propia razón dada por Dios como guía, dominará y controlará su mundo, será el árbitro, ¡el dueño de su destino!

Recuerde, su mente es un contenedor. ¡Basura dentro, basura fuera! Líbrese de la vieja basura y rechace cualquier vieja basura que lo limite de cualquier manera. Su propia imagen es altamente importante. Si realmente se ama a usted mismo en primer lugar, después será capaz de amar a los demás. Si usted desconfía de sí mismo, desconfiará de los otros. ¡Qué elección! Usted experimenta lo que da a la vida.

Existe una última ley universal pertinente relativa a nuestro actual tema de la propia imagen. ¡Usted obtiene lo que da! Lo contrario es también ley. ¡Usted pierde lo que mantiene! Considere esta ley. Si estas leyes son verdaderas, y yo sé que lo son, ¿no sería sensato darse a sí mismo lo mejor en lugar de lo peor de la vida? ¿Por qué ponerse como *deudor* cuando simplemente puede con facilidad ponerse como *acreedor* de amor sublime, riqueza ilimitada, estupenda salud, vitalidad entusiasta y éxito continuado? Recuerde, siempre existe alguna especie de «desfase» entre un pensamiento y la realización de esa idea material. Así pues, por un tiempo mire más allá del mundo de la apariencia. La ley siempre prevalece, la forma debe adaptarse a la conciencia. A su debido tiempo, el viejo estado ahora indeseable de su falso yo desaparecerá. ¡El *nuevo yo de usted* que conoce de una manera diferente surgirá, con altura, triunfante y victorioso sobre todas las cosas! Su propia imagen recientemente aceptada le permite ahora ¡ser una buena-mujer o un buen-hombre despierto en la Tierra! Diría que dar gracias sería apropiado.

10

Técnicas de visualización

¿Qué mí en ti desvelarás
para hacer realidad mi sueño terrestre?

Todo maestro sensato dedicado a formar personas para que logren éxito en la vida hará que sus alumnos sean conscientes de la parte fundamental que juega la visualización en hacer que una meta se convierta en realidad. ¡Una imagen vale más que mil palabras! La visualización significa que utilizamos la imaginación clarividente, esa facultad fantástica de hacer imágenes de nuestras mentes, para crear algo nuevo en nuestras vidas. Mediante el arte de la visualización, ampliamos nuestra conciencia mas allá de los límites del presente. Miramos hacia delante y vemos el final desde el principio. Tenemos una clara imagen mental del resultado final que deseamos. Nunca nos desviamos de este enfoque ni un solo momento; cuando lo hacemos así, podemos llegar a un punto en el futuro ¡para descubrir que nuestra imagen imaginada se ha convertido en una realidad completamente florecida!

El poder de su mente, o de cualquier mente, es tan increíble que desafía la creencia. Lo que podemos imaginar, podemos convertirlo en una realidad experimentada. Napoleón Hill popularizó esta misma exacta idea cuando acuñó la frase: «¡Podemos realizar lo que podemos concebir y creer!»

En el pasado he viajado ampliamente y he dado muchas conferencias sobre cómo hacer que los sueños se conviertan en realidad. En cierta ocasión, dije a mi público en una pequeña iglesia en Tampa, Florida, cómo un hombre y su esposa habían creado un complejo de dos pisos sin gastar un solo céntimo.

Entre mi público se encontraba una familia extremadamente pobre, una madre con cinco hijos a los que había permitido que entrasen sin pagar. También expliqué a mi numeroso público de fin de semana que yo mismo había salido de una pobreza espantosa mediante las mismas técnicas de visualización. En seis meses, empezando de cero, poseía una casa propia, un Cádillac, y tenía unos ingresos muy superiores a la media. Aquella madre en dificultades y sus hijos escuchaban con una mente abierta y una resolución unificada de hacer lo mismo. En uno de los descansos de mi charla, la madre me tomó aparte y me dijo que ella y sus hijos ¡iban a manifestar una casa para sí mismos ¡en el plazo de una semana! Yo me maravillé de su fe, pero no le arrojé un jarro de agua fría sobre su resolución. En lugar de ello, asentí diciendo que si todos ellos estaban totalmente unidos en esa creencia podría suceder.

Una semana más tarde, yo me sentaba en el suelo desnudo de su nueva casa. En mi honor, la hija mayor había preparado una cena de espaguetis. Era su manera de mostrarme su agradecimiento por enseñarles e inspirarles cómo hacer su sueño realidad. No tenían muebles, y nos sentamos en el suelo con los platos en nuestro regazo o sobre el suelo entre nuestras rodillas. Ya poseían «completamente» casa y tierra. La casa era idéntica a la que una semana antes todos habían deseado de mutuo acuerdo. A través de una serie de extraños aunque significativos acontecimientos que vinieron rodados, la casa y la tierra les fue generosamente regalada libre de deudas. La escritura fue puesta conjuntamente a nombre de la madre y del hijo mayor, que tenía diecisiete años.

Recuerdo que durante mi seminario, el miembro más joven de la familia, que sólo tenía siete años, hizo más preguntas que nadie. Esta familia simple, preguntaba, y humildemente aceptaba y utilizaba los principios básicos de la visualización y de la manifestación que se les revelaba. La cuestión que debe aquí ser retenida es que *¡ponían inmediatamente en práctica su conocimiento recién hallado!* Éste era el punto en el que esta extraordinaria familia difería enormemente de las personas medias del grupo. En lugar de poner su nuevo conocimiento en un cajón, lo aplicaban a la vida. ¡Demostraron que conocer y hacer son dos cosas diferentes!

Muchos de nosotros sabemos, ¿pero cuántos de nosotros hacemos? ¿Cuántas personas hoy día están *siendo* su conocimiento, es decir, viviéndolo? Sólo unos pocos. Sin embargo, un pequeño conocimiento va muy lejos, pues el conocimiento es poder, pero únicamente cuando se utiliza.

Una práctica de visualización

1)   Concéntrese en su interior y forme la imagen física más clara posible que pueda de esa persona que es ideal para usted. Vea claramente el color de los ojos, el color del pelo, el tamaño, la forma, los rasgos de la personalidad, y cualquier otra cosa que pueda pensar o saber que es una cualidad importante o esencial de su pareja del alma. Hágala lo mejor que pueda imaginar. No haga compromisos. Únicamente estará de verdad satisfecho con alguien que cumple todos los requisitos de su encargo. No dude en ver lo máximo en esta persona. Es un hecho establecido que si puede imaginar esta persona, ¡ella o él existe! Nunca sienta que está exigiendo demasiado de la persona que ama. Después de todo, ¡él o ella es su equivalente!

2)   Piense de manera amorosa y entrañable hacia esa persona durante cinco o diez minutos diarios, a la misma hora si es posible. Después, dirija su atención a otra cosa y póngase a realizar sus responsabilidades cotidianas. Aquí es donde muchos individuos fracasan. Es imperativo que corte el vínculo entre usted y la forma de pensamiento que ha lanzado al universo. De otro modo, simplemente se queda dando vueltas en su cuerpo mental y se convierte en una *idea fija* que le posee, o en una obsesión. Cuando nace un niño, el cordón umbilical que le une a la madre es cortado. El niño continúa entonces creando lo que está en su ser. Tiene que hacer lo mismo con su pensamiento recién nacido. Esto le permite salir al mundo y contactar con ese alma que es el homólogo exacto de esa forma de pensamiento. Sepa simplemente que una persona como la que ha imaginado existe. Es así. De otro modo, usted nunca habría sido capaz de conjurar o concebir esas características específicas y únicas que componen su pareja del alma.

3)   Diga a esa persona amada mentalmente, durante cinco o diez minutos de «emisión», su nombre, la ciudad o pueblo y región en la

que vive, y cualquier otra cosa que sea pertinente y que desee hacerle saber sobre usted. Este pensamiento, una vez dirigido a su pareja del alma, actuará de manera telepática y será «captado» en algún nivel o grado por él o ella. Sepa que *es así*, tal como piense hacia él o ella.

4)   Diga a su pareja del alma el mes, semana, día o año en que le está esperando para que llegue físicamente a su vida.

5)   Véase a usted mismo en una vívida asociación con esta pareja del alma ¡de todas las maneras que pueda concebir con un *vivo colorido*! Véase a sí mismo presentándola a sus padres y amigos. Véase sentado a su lado y comiendo con su pareja del alma en su restaurante favorito, o yendo a dar un paseo romántico, los dos juntos en un parque o al campo. Véase a sí mismo trabajando felizmente juntos en un proyecto de negocios, o en un sueño favorito todavía no realizado. Ponga todo su impulso emocional en imágenes coloridas que pueda evocar en lo que muy pronto serán realidades físicas asociadas a la imagen.

6)   Finalice cada sesión de comunión con él o ella dando gracias. Afirme que lo que visiona mentalmente es ya una realidad en los planos internos. Es sólo una cuestión de tiempo y esta persona se manifestará como una realidad física también.

7)   Dios es la fuente de todos los dones. Dígale a Dios cómo volverá a dar personalmente este don de amor a otra persona. Esto puede realizarse con facilidad, compartiendo simplemente con otra persona estas poderosas verdades que ha utilizado para manifestar en su vida a «ese alguien especial» atractivo y encantador.

*   *   *

Siga cuidadosamente estos métodos de visualización diariamente y pronto logrará los resultados deseados que visiona. Asegúrese de no insultar a su propio sentido de credibilidad. Si piensa o siente que es imposible que esta persona aparezca en su vida durante la próxima hora, o al día siguiente, no gaste su tiempo con esa idea. Esto pondría un gran obstáculo en su camino. Tómese el tiempo para sentirlo. Sentirá cuál es el periodo de tiempo más creíble para usted. Después, decida lo que es creíble, ordene que se produzca y entre en la sala del tiempo con confianza completa en esta lección. Sepa que él o ella estará allí en el momento elegido o de la cita.

La gran prima consiste en que la misma técnica funciona para cualquier cosa que quiera crear. Asegúrese de que lo que desea constituye una bendición para usted mismo y todas las personas afectadas por su deseo. No se centre en conseguir algo de una persona, institución o grupo específico. Esto constituye una mala utilización de este poder y vulnera la ley del amor. El castigo es un gran sufrimiento y dolor a largo plazo, porque se trata de un acto de tomar sin ningún pensamiento de dar. Cuando, por ejemplo, tiene necesidad de diez mil pesetas, y visiona a una persona específica dándole ese dinero, esto constituye una vulneración de la ley. La manera correcta exige la misma clase y cantidad de esfuerzo. Simplemente pida, y concéntrese en verlas en *sus* manos procedentes de cualquier posibilidad infinita del universo. Los recursos del universo no tienen fin, están almacenados con abundancia respecto a cualquier cosa que pueda visionar. Será usted inspirado hacia la acción correcta.

Cuando sabe que usted es una hija o un hijo de Dios, inmediatamente se le concede la utilización de todas las riquezas y poder del universo. Hay más que suficiente para realizar los más elevados sueños de cada ser humano en la Creación. Cualquier cosa o persona que desee se manifestará a partir de la inacabable reserva de vida eterna. Es ilimitado y está más allá del tiempo. Tiene tanto derecho a estar sano, ser rico, poderoso y tener éxito como cualquier otra persona en la Tierra. Pero, sólo usted puede decidir a través de su propia elección lo rico o pobre que será en cada cosa. Dios no esconde nada de sus hijos. «Pedid, y se os dará.» Que lo que usted pida sea una auténtica bendición para todas las personas afectadas.

Un último punto fundamental que todo el mundo en la Tierra debería saber es el siguiente: cuando cultiva su conciencia para ser un donador, usted se halla en el flujo equilibrado de la vida. ¡Lo que usted da le será devuelto con intereses! Cuando cultiva su conciencia para ser una persona que siempre toma, se encuentra en oposición total con la ley del amor y del equilibrio. Lo que usted toma le será tomado. Bajo esta perspectiva, plantéese usted mismo la cuestión y considere la respuesta con exactitud. Mirando honradamente dentro de su ser consciente, ¿es usted una persona que da o una persona que toma?

La ley del amor es simple. Lo que Dios da debe ser devuelto a otra persona. ¿Qué está usted dispuesto a dar por todo lo que se le ha dado? Esta ley de la devolución equivalente hace que el mundo gire. Asegúrese de que usted conoce, entiende y practica las interacciones *equivalentes y equilibradas* con su pareja del alma, porque entonces su relación será una relación duradera.

¡Que la pareja del alma que usted desea le llegue pronto en la vida! ¡Que le haga usted el regalo de su propia mayor alegría y que él o ella se lo devuelva a usted! Yo soy su querido amigo, porque elijo serlo. ¡Que así sea!

11

El poder de la autosugestión

Él o ella vive en lo profundo de tu memoria.
Cuando despiertes, amanecerá el alba del conocimiento.

El instrumento más poderoso que tiene cualquier humano aquí sobre la Tierra es el simple acto de la autosugestión. Nos guste o no, nuestro subconsciente es mucho más poderoso que nuestra mente consciente. El único poder mayor es nuestra mente supraconsciente, que trasciende la masa física. Hasta que cambiemos nuestro centro de atención consciente desde nuestra propia identidad limitada hasta el conocimiento de que estamos totalmente unidos con Dios, el mejor instrumento para acelerar nuestra evolución es la utilización de nuestro subconsciente. Esto significa que en lugar de ser dominados y gobernados por nuestro vasto ser subconsciente, hay que dar totalmente la vuelta a la tortilla. Debe convertirse en nuestro poderoso servidor, mientras que nuestras mentes se convierten en su dueño que da las órdenes. Ya es hora de utilizarlo sabiamente, en lugar de ser utilizados por él, especialmente porque el papel correcto que debe desempeñar es el de servirnos, ¡y no nosotros servirle a él!

Existe mucha desinformación y, con frecuencia, miedo sobre la utilización de este sugestivo poder. Es voluntario el que nos confundan quienes manipulan y controlan nuestras vidas, y las vidas de todo el mundo en la Tierra, mediante el conformismo al que se llama patrones de conciencia sociales «normales». Si usted no sabe qué o a quién creer, entonces está siendo efectivamente neutralizado y simplemente continúa con los patrones programados.

El *cerebro* no piensa. Es simplemente un ordenador de nivel mecánico y físico, y es capaz de procesar únicamente lo que se pone en él. En otro salto cuántico, o nivel, «sobre» él, su *alma* no piensa. También, es como un gas químicamente inerte, y sólo registra o graba cada experiencia que encuentra por la mente. Al igual que el cerebro, su alma ha sido creada para servir el hecho de que su mente humana consciente pueda tomar decisiones que lo conduzcan a esa experiencia elegida. Su programación empezó desde el nacimiento, y antes, y continúa. Su alma, o subconsciente, registra toda la experiencia elegida previamente por usted a través de todas sus expresiones previas de vida humana. Mientras está en el seno materno, todos los pensamientos, sentimientos y experiencias que los padres y el entorno proporcionan son transmitidos al mismo.

Tras el nacimiento, continúa la programación momento a momento, a medida que se van registrando datos emocionales débiles y fuertes con fidelidad. Es literalmente el «software» que determina los límites de lo que usted puede procesar en el mundo tridimensional. A medida que pasan por usted los días, las semanas, los meses y los años, casi todos estos programas muy vivos son conscientemente olvidados; sin embargo, la potencia de la capacidad que tienen para gobernar su vida no disminuye. Un programa despierto —a través de la asociación— puede surgir en su mente consciente e insistir en que «no puedes», pero esto está basado en la infancia o en la programación antigua. Es siempre tarea del alma dar a luz a sus decisiones, sus deseos, buenos o malos, puesto que no puede juzgar. Nunca diferencia, ni comprende un no—movimiento como algo innato dentro de la orden «no seas ignorante». Únicamente puede utilizar y registrar las últimas dos palabras de esta orden que le dice «sé ignorante». Es por esto por lo que necesita entenderse a sí mismo, el porqué y el cómo, su yo-Dios se halla en cada nivel de su frágil expresión humana. La ignorancia alimenta a la ignorancia; la sabiduría alimenta a la sabiduría.

Si usted considera el amplio significado de esta información, entenderá que los estudiantes sensatos de la vida utilicen esta técnica poderosa de autosugestión para inspirarse y dirigir las expresiones de su vida. A través de la autosugestión, ¡se hace ilimitado el gran contenedor de energía que usted encarga para su uso! Piénselo por un momento. Cuando un minero extrae con la pala mecánica cincuenta toneladas de carbón del suelo y las coloca en los medios de transporte al efecto, ¿de dónde viene la energía? ¡Ciertamente no del cuerpo! Proviene de la mente, que es la fuente de toda energía, expresada a través del deseo. Si calcula usted la cantidad de alimentos consumidos por ese minero y los cambia a unidades de energía, sólo podrían ser extraídos cincuenta kilos. La energía para extraer y elevar cincuenta toneladas del suelo por el aire procede totalmente de la mente del trabajador que cree que puede palear tanto carbón por día. ¡Qué milagro maravilloso completamente ignorado por nuestra comunidad científica! Es inexplicable por nuestras ciencias empíricas. Los sentidos que graban son los mayores impostores que tengamos, porque nuestros sentidos sólo ven la mitad del movimiento. El movimiento opuesto equivalente y simultáneo *que va hacia atrás en el tiempo* no se registra de manera consciente. Si lo fuera, el movimiento sería completamente neutralizado en una posición *cero del universo*. Entonces no podría haber movimiento, únicamente la paz o el silencio eternos a partir de los que aparentemente parecen ordenarse las imágenes de la realidad, el movimiento incesante y las ondas sonoras.

En la gran unidad de todo ser, su alma tiene pronto acceso a todo conocimiento, poder y presencia. Usted no está limitado sólo a sus propias experiencias cuando utiliza su mente para conectar con cualquier cosa en cualquier sitio que imagine. Por esto puede utilizar la autosugestión en momentos adecuadamente conocidos para atraer a su pareja del alma a su vida. Al mismo tiempo, este inmenso generador de poder propio le está ahora controlando, como controla a casi todo el mundo, y puede ser puesto bajo control. ¿Conduciría un caballo sin tener ningún medio de controlar su dirección? ¡Por supuesto que no!, aunque el subconsciente es un millón de veces más poderoso e incontrolado que cualquier caballo desbocado. Con mucho, la mejor explicación de cómo y por qué funciona esta increíble mente subconsciente, se detalla en el libro *The Pleiades Connection*, volumen quinto*.

Sin embargo, la autosugestión más eficaz se hace cuando se sosiega o deja de lado su mente consciente. Entonces, cuando entra en su nuevo «programa» con mucho deseo o gran emoción, habrá tomado el control de su destino. Usted ha dado la orden, y si su deseo no ha sido

---

* Para más información sobre esta obra de ocho volúmenes, véase la nota de la página 77 en el capítulo 8.

previamente bloqueado por el subconsciente, será satisfecho. Estaremos «prontos» a decir, hacer, a pensar o conocer ciertas cosas dirigidas a consumar esa meta.

¿Qué ocurre si su mente subconsciente ya ha abrazado una creencia o limitación poderosa y falsa respecto a su nuevo deseo? En ese caso, es necesario seguir sus pensamientos y sentimientos hasta el origen de la creencia tan fuertemente enraizada en la sombra de su subconsciente. Una vez que usted sepa por qué aceptó ignorantemente una creencia limitadora, o entregó su poder de autoconvicción a una autoridad externa, o simplemente se engañó respecto a ella, ese bloque desconocido que le hace andar a trompicones no tendrá más poder sobre usted. De hecho, será como si le hubieran quitado de los hombros una enorme carga psicológica. Entonces, simplemente se dice a usted mismo la verdad de la situación y es libre de recorrer de nuevo su camino ilimitado. Si recuerda que todas las limitaciones humanas han sido aceptadas o autoimpuestas únicamente por los seres humanos, entonces no tolerará ya más limitaciones. ¿Por qué? Porque el mundo entero es suyo, simplemente en virtud de su deseo y de continuar con la acción inspirada por Dios. Acepte la auténtica dignidad de lo que usted es. Hable con determinación sabiendo que está en plena asociación con el mayor y más poderoso socio del universo: ¡Dios, Todopoderoso en persona! En esta Era de la Voluntad que se está desarrollando ahora, cualquier cosa está realmente por debajo de su dignidad. Utilice la autosugestión. ¡Es su propia puerta divina abierta a todo lo que es!

12

Sólo la verdadera plegaria funciona

Ve lo que el tercer ojo, iluminado por un corazón ardiente,
puede muy pronto revelar.

¿Por qué son aparentemente respondidas unas plegarias y otras no? ¿Existe un arte de orar? ¡Por supuesto que lo hay! La plegaria no es el movimiento de los labios vacíos y súplicas incansables hacia Dios. Tampoco importa el que usted grite con la voz más poderosa a Dios y agite sus manos o sacuda sus puños. Dios nunca está «ahí fuera», entonces, por qué molestarse en actuar como si lo estuviera. *Dios está dentro de usted y de mí.* ¡Tampoco Dios es él o ella! ¡Dios no tiene sexo, está más allá de la dualidad!

Hace dos mil años, cuando la gran entidad crística, posteriormente identificada como Jesús, dijo, «El Reino de los Cielos está en vuestro interior», quería decir exactamente esto. El hábito de buscar a Dios fuera de nosotros ha mantenido al Todopoderoso bien escondido de nuestra vista. Dios puede ser visto en los pétalos de cada flor, en la luz de cada ojo. Todo Lo Que Es está *en el centro* de cada persona, lugar o cosa, dentro del propósito del tiempo o del acontecimiento de cada momento. Allí donde mire, sienta y vea, reside nuestro Dios Todopoderoso. Dios es cada partícula de lo que usted y yo somos. ¿Por qué pretender que invocar a los altos cielos o al viento que pasa obtendrá una respuesta a su propia plegaria? No la obtendrá.

En *The Pleiadian Documents* se da un gran ejemplo de oración. Un campesino que siembra su semilla en buena tierra tras la helada de la Fuente efectúa el primer acto de verdadera plegaria. Dios creó al ser humano como una extensión cocreadora del SER. ¡Dios trabajará para usted pero no por usted! El acto de plegaria del granjero estaba en su propio camino de realización. Dios, en la forma de naturaleza, recibía la plegaria y empezaba inmediatamente a hacer crecer la semilla, de manera que se pudo obtener una gran cosecha. Si, por el contrario, el campesino no hubiera hecho nada excepto pronunciar palabras rogando a Dios que le produjera una gran cosecha, esa denominada plegaria no hubiera producido ninguna cosecha.

Dios no está nunca más lejos de un suspiro y está siempre más que dispuesto a darnos todo lo que estamos dispuestos a poseer en cualquier momento dado. Mediante la comunión silenciosa por dentro, todos los deseos son conocidos y otorgados inmediatamente. No obstante, ¡Dios no hará el trabajo real o actuará como mensajero para nadie! Esto es por lo que nos envía a usted y a mí a una realidad *aparentemente* tridimensional, para expresar y experimentar cualquier idea que Dios o el hombre cocreador desee manifestar en la Tierra. Usted es su mente, sus manos y sus pies. También yo lo soy, e igualmente lo es cualquier otra persona, lugar o cosa. A través de Dios, todo el espacio y tiempo aparente puede derrumbarse. Todas las cosas son así posibles.

La identidad con Dios es lo máximo. Cuando sabe que usted y Dios son UNA MENTE, UN CUERPO y UN PROPÓSITO, absolutamente nada puede impedirle tener lo que desea. Al igual que el sabio campesino, sabrá que es únicamente tarea suya entrar en acción y plantar la semilla del deseo en un terreno fértil en el lugar y tiempo apropiados. Una semilla plantada por el campesino en una roca no será capaz de enraizar y crecer. Una semilla plantada antes de que la helada abandone el suelo se helará y echará a perder. Sólo la semilla plantada sabiamente produce una cosecha abundante. Dios hace el resto. Sin embargo, si el campesino no cuida la sementera, eliminando las malas hierbas que la ahogarían —como la duda que ahoga las frágiles creencias— la semilla no maduraría adecuadamente. Dios envía el sol y la lluvia por igual a todas las sementeras del campo. Como la «mano y los pies» de Dios, lo mismo que el «ojo» de Dios, le corresponde a usted darse cuenta de cuándo su sementera (o idea que está creciendo) necesita más agua o más sombra, lo mismo que su idea puede necesitar más energía o un poco menos de intensidad. Demasiada energía puede sacudirla y literalmente electrocutarla, lo que significa la muerte de la idea en el mundo de tres dimensiones.

El arte de la verdadera plegaria significa que usted se concentra en cualquier elección que haya hecho en un momento dado y le presta toda su atención. *Después escuche la voz interna para instrucciones posteriores.* Tan pronto como conozca el nuevo paso, actúe sin dudas. No deje que la «mente-mono» discuta al margen de su sabiduría. Con Dios nada es imposible, así «no puedo» o «es imposible» no tienen existencia en una realidad de Dios. Dios oye y conoce cada uno de sus pensamientos. El ritual de hablar a Dios en alto verbalmente es únicamente un ritual vacío. Antes de que su deseo sea expresado, ya está realizado internamente. Después se trata simplemente de una cuestión de tiempo, y ya estará presidiendo como una comadrona el nacimiento del acontecimiento en el tiempo. El *propósito* del tiempo fue *sembrar* su deseo. El *acontecimiento* en el tiempo fue el *nacimiento* de su deseo en el mundo material.

La verdad de que Dios le otorgará cualquier cosa, pero no lo hará por usted, debe ser implantada indeleblemente en su mente. Todo empieza con un deseo de oración. Acaba inmediatamente si no existe el vínculo de su acción. Cuanto más intensa sea su plegaria o su deseo, más poder le ha proporcionado para acelerarlo en la forma del mundo físico.

La oración más sabia de todas es la oración invocada por Jesús hace dos mil años: *Señor, ábreme para conocer todas las cosas.* Lo que usted cree no es absoluto. Incluso lo que piensa durante todo el día no es algo absoluto. Esos movimientos del ser pertenecen al universo eléctrico ilusorio. Sin embargo, ¡lo que usted sabe absolutamente es absoluto! Nada puede interponerse en el camino de esta clase de plegaria.

Otro aspecto importante de la oración explicada en detalle en *The Pleiadian Documents* es que nuestro Dios de amor nos dio una parte de Sí Mismo para que podamos vivir con Él en el Universo Eléctrico. Este simple acto de amor es literalmente lo que hace que el mundo gire. Lo que es dado debe ser dado de nuevo a otra persona: ésta es la ley universal. Sin equilibrio entre medio, la dualidad no existiría. Por ello, es importante seguir esta ley si tenemos la esperanza de tener equilibrio en nuestras relaciones de amor, o con nuestra familia, o con las personas que amamos, amigos y vecinos, conocidos o desconocidos. Cualquier desequilibrio entre personas que se aman más adelante destruye la relación. Lo mismo es verdad para las amistades y los negocios. El comprador y el vendedor deben tener un intercambio equilibrado; si no, se crea una desarmonía entre los dos. Esta ley del equilibrio no puede ser vulnerada a través de cualquier propósito o acontecimiento del tiempo.

Por ello, cuando rece al Dios interno, deseando algo, es muy importante que usted sepa *exactamente lo que quiere devolver* al mundo por ese don amoroso de Dios. El universo no deja de girar dentro de usted. Para mantenerlo girando, usted debe devolver al mundo lo que le ha sido dado. De esta manera, cada forma de vida, pequeña o grande, puede darse a sí misma en la misma medida, pequeña o grande, de vida abundante que desee. Como puede ver, ¡hay más que suficiente para todo el mundo! Sólo usted determina la magnitud y resultados de su plegaria.

Ruego para que el don de este conocimiento vuelva a ser devuelto a alguien distinto a partir de su propia abundancia. Que así sea.

13

Un matrimonio celestial en la Tierra

Elevándonos por las alturas celestiales de seres infinitos,
somos espíritus con alas.

Nosotros no llegamos al nacimiento físico como bebés con las manos vacías. Cada uno de nosotros posee incontables capacidades desarrolladas, o habilidades, y una reserva infinita de talentos todavía no desarrollados. Hemos obtenido y formado todos ellos durante largas eras en los fuegos evolutivos de nuestras innumerables experiencias humanas.

Un matrimonio celestial en la Tierra se forma igualmente fragmento a fragmento. Dos almas que disfrutan ahora del esplendor y la alegría de una unión de parejas del alma ¡lo han ganado! En un grado mayor o menor, todo el mundo vive como Dios en la Tierra, dejando los pequeños rasgos y la personalidad insignificante detrás. Dentro de éstos han ocurrido dos cambios fundamentales. El foco de nuestra personalidad se ha desvanecido y ha crecido la identidad del alma. Son personalidades infundidas con alma, queriendo esto decir que, en algún grado, dominan la utilización del vehículo maravilloso de la personalidad ¡en lugar de ser utilizados por ella! Sus sensaciones e instintos eléctricos han sido en gran medida dominados. Su amor recíproco es incondicional. Trasciende las insignificantes cosas de la vida. Ignora los muchos pequeños fallos, incluso los grandes que la pareja equilibrada homóloga muestra. Ambos reconocen la grandeza del paso del tiempo dentro de ellos y de sus amados espejos. Ya no existe una atención sobre las pequeñas idiosincrasias en cualquier otro ser humano que ¡en otro tiempo solían encontrar tan perturbadores dentro de ellos! Ya no se encuentran perdidos en la vida pasada o futura, sino que viven sin duda dentro de la inmediatez omniabarcante del momento, el eterno ahora. Ambos son hermosas criaturas que responden y son responsables, de luz y voluntad que seguirán creciendo a través de los tiempos. Han dejado detrás la Era de la Mortandad y viven ampliamente en la Era de la Voluntad.

Contraste este esplendor con una vida pasada penosamente con una pareja egoísta, centrada en el ego, temerosa y sin confianza en una alianza de matrimonio no sagrado. Si este zapato le va bien, póngaselo. Después crezca sabiamente con él. Nuestros estados de vida están determinados por nuestros estados de mente. La fe o el miedo juegan un gran papel en él/ellas. Hacen nacer las experiencias positivas o negativas que encontramos. Si usted experimenta temores, dudas y desarmonía, no es su pareja el problema, lo constituyen sus propios miedos ignorantes, avivados por falsas creencias y pensamientos erróneos. Esto es lo que le da a usted ese estado de humor interno irritable y ese temperamento emocional altamente explosivo. Usted es el que aprieta el botón del pánico. Si no le gusta, ¡cámbielo! *¡Enfréntelo, rastréelo y erradíquelo!* Es su propio problema interno. ¿Por qué agarrarse a él? Cuando usted deja los problemas, los problemas le dejan a usted. Usted no puede vivir sin energía.

Ningún problema es creado por ninguna persona o acontecimiento fuera de usted mismo, con independencia de lo que parezca superficialmente. Ahórrese la conciencia de «la víctima». No es ninguna otra persona la que necesita cambiar de actitud. Es usted el que necesita una buena limpieza de casa. ¡Su pareja del alma merece algo mejor! ¡Pero usted también!

Si quiere usted experimentar un matrimonio celestial en la Tierra, no se producirá de la noche a la mañana. Usted y su pareja necesitarán trabajarlo diariamente. Es sensato verificar su propia temperatura emocional cada día. Examine los pensamientos conscientes que enarbola. Si están llenos de irritación, está usted actuando en el nivel de la personalidad. La depresión procede de centrarse demasiado en sí mismo o en lo que los demás piensan de usted. *Lo que cualquier otra persona piensa de usted no es asunto suyo.*

Las demás personas son responsables de sus pensamientos o acciones, y usted es responsable de los suyos. Desde hace muchos años no he estado deprimido ni inseguro, con independencia de cuantos obstáculos aparentemente imposibles se han puesto en mi camino. He aprendido que no soy un cuerpo, ni mis sentimientos, ni mi mente. *¡Soy la vida eterna por dentro y ellos son mis instrumentos o servidores!* Tome el mando de sus sentidos corporales. Esto es lo primero y lo mejor que puede hacer por sí mismo. Su relación matrimonial y todas las demás interacciones estarán más equilibradas y fluirán con más armonía.

¿Es la vida matrimonial entre parejas del alma un estado constantemente celestial de bendición? ¡Por supuesto que no! ¿Disfrutan las parejas del alma de las expresiones mundanas o simples de la vida juntos? Más de lo habitual. ¿Existe un aura especial de protección divida que le evita los problemas de la vida, sus preocupaciones y dolores? Sí y no. El contacto de uno por el otro en el nivel del alma ayuda a inspirar a las parejas del alma en los periodos de pruebas físicas emocionales o mentales. No queda violada la libre elección en lo que respecta a las relaciones. Las parejas del alma, como cualquier otro ser humano, encuentran muchas cosas de la vida agradables. Buscamos experimentar todas las buenas cosas que la vida nos ofrece en todos los niveles de nuestro ser. Como norma general, cuando estamos equilibrados, la moderación es la nota clave. La pasión o el éxtasis provienen de una cada vez mayor unión consciente recíproca y con el Dios interno.

Recuerde, es el compromiso diario de la vida, momento a momento, y la superación consciente la que produce el crecimiento evolutivo. Se requiere un choque antes del que el impacto o la experiencia se registre en nuestra conciencia. Las parejas del alma intentan vivir un crecimiento mutuo, siendo así mutuamente excelentes espejos en ese proceso. Saben que todo progreso se hace a través de la colisión de sus emociones (o sentimientos de amor y odio) y sus reacciones inmediatamente reflejadas de placer o dolor. Algunos pueden discutir y batallar entre sí en los niveles de la personalidad, pero lo más normal es que se las arreglen rápidamente para ponerse en armonía y superar esos comportamientos infantiles.

El tiempo está siempre de nuestro lado. El alma que conecta con la pareja del alma permanece constantemente *centrada* e inalterablemente en equilibrio, *más allá* de todos los acontecimientos exteriores que puedan sacudir la Tierra. Los problemas van y vienen, ¿pero qué puede dividir lo que está siempre ahí presente con serenidad y seguridad? ¿Existen rupturas o separaciones? Sí, y la mayoría de las veces por ignorancia y esa variedad de factores «X» que se hallan dentro de las relaciones y entre ellas. Aunque las parejas del alma se encuentran en un punto de regularización en el nivel del alma, rara vez se hallan en el mismo grado de desarrollo. Una puede estar polarizada mentalmente, mientras que la otra está centrada en las emociones. Incluso si están cercanas en su grado de comunión espiritual, puede existir un gran abismo de comunicación en el nivel de la personalidad o en otros niveles entre sí que ha de ser superado mediante un puente.

Las parejas del alma son parejas del alma porque tienen un nivel de comunicación entre sí *en el nivel del alma*. En ese nivel no hay problema. Ahí, se ven mutuamente a los ojos. Sin embargo, esto deja la amplia gama de la vida diaria para que sea vivida por ambos en los niveles personal, mental, emocional y físico. Cualquiera de estos niveles puede ser abordado por perturbaciones temporales que han de ser reconocidas y superadas. El divorcio, o incluso una separación temporal, es bastante infrecuente entre parejas del alma, incluso en nuestra civilización «moderna» extremamente decadente. Se necesitaría demasiado trastorno o desequilibrio en el nivel de la personalidad o en cualquiera de los tres niveles inferiores para destruir la relación aposentada del alma por dentro.

Las parejas del alma son individuos normales como usted y yo que están en armonía con su pareja en la vida. Viven todas las pruebas, alegrías y penas normales, y la multitud de impactos dramáticos que se producen aquí y allá a lo largo de los caminos y atajos de la vida. Yo encontré a mi pareja del alma y vivo con ella. Puedo confesar de primera mano que atravesamos crisis tras crisis entre nosotros y también las circunstancias externas de la vida de una manera habitual. Estos desafíos nos han ayudado a crecer inmensamente. ¡Tenemos un matrimonio celestial en la Tierra! Ambos sabemos y apreciamos que la Tierra nos proporciona las oportunidades para disfrutar del éxtasis de la comunión amorosa mientras que vivimos, experimentamos y expresamos la vida sagrada. Que este mismo éxtasis pueda ser pronto suyo.

Que el cielo se abra y derrame un gran flujo divino de Luz, Amor y Poder sobre su vida, las vidas de las personas a las que usted quiere, y sobre su trabajo. ¡Que así sea!

14

Parejas del alma:
Un fenómeno de crecimiento rápido

*La rueda del tiempo que gira sin cesar desarrolla un nuevo
panorama resplandeciente. Éste se eleva bien alto en el horizonte.*

En este momento, llegamos a una definición más científica de las
parejas del alma. Ya no se trata de la definición de «encuentro en el
nivel del alma» a la que nos hemos referido en este punto. La trasciende. Prepárese para dar un salto cuántico en su comprensión. El término
«alma gemela» se acerca ahora a una verdadera definición de la pareja
del alma, pero todavía es inadecuada. Usted es la mitad de un par, queriendo esto decir que si usted es mujer, existe un homólogo masculino
para usted. Esta división polar igualmente equilibrada es universal.
Todas las formas de vida se producen en pares eléctricos opuestos,
desde la más pequeña mota de polvo hasta los más ardientes soles.

Normalmente, es raro para una entidad vincularse físicamente con
su homólogo exacto, masculino o femenino. Sucede con una frecuencia todavía mayor durante un cambio planetario fundamental, como el
que está ocurriendo ahora en la Tierra. Esta civilización actual está a
punto de cambiar de la Era de la Mortandad a la Era de la Voluntad.
Puesto que sólo cuando se conoce el carácter y se desarrolla puede
ocurrir un salto cuántico en la luz de la conciencia o del conocimiento.
Las verdaderas relaciones matrimoniales van a comenzar, y empezará
a ser normal un intercambio equilibrado e igual entre los miembros de
la pareja. Hoy día son anormales o muy raros.

Las relaciones de almas gemelas y las relaciones de parejas del
alma son muy diferentes. Las relaciones de las parejas del alma están
empezando a ser frecuentes o comunes, pero los alineamientos de las

almas gemelas son todavía pocos y lejanos. Afortunadamente, esto va a cambiar y esperemos que usted juegue un gran papel en este cambio. Sólo existe una verdad, no muchas. Sólo Dios es verdad. Hay tantas percepciones diferentes de la verdad como mentes. Ninguna de estas percepciones puede dividir o alterar la única verdad, porque ésta es la ley. La verdad es que Dios ha establecido leyes inmutables que nadie puede alterar. La misma ley que gobierna el Universo Magnético gobierna el Universo Eléctrico. Estas leyes primigenias de Dios y de la creación han sido conocidas y utilizadas por los antiguos maestros iluminados y adeptos de la Tierra y por civilización de las Pléyades hace miles de años.

Al principio del comienzo fenoménico o eléctrico, lo UNO se dividió y multiplicó en las MÚLTIPLES *luces*. Cada una de estas partes fragmentadas, o luces divididas, constituye la mitad de un duplicado exacto de la Única Luz Total. Todos los pares que somos debemos retornar a lo UNO, nuestra fuente. Cada uno de nosotros es la mitad de un par que quiere volver a fundirse en la UNIDAD de Dios. El Dios interno ¡es siempre total e indivisible!

Pero en la manifestación, cada parte separada de Dios está polarizada de una manera clara como una forma masculina o femenina. Sin ella, la dualidad, o el comienzo de la dimensión, no sería posible. Aunque cada media unidad es claramente masculina o femenina, cada una posee su propia ley de unidad. Esto ocurre porque lo UNO está en el centro de cada forma de vida sin excepción. Así, en todos los reinos de la naturaleza, las unidades masculinas y femeninas están constantemente esforzándose para unirse y encontrar el equilibrio con una pareja homóloga. Esta misma ley de la acción funciona también en el reino mineral, los átomos, las abejas, los seres humanos, cualquier cosa, todo existe con identidades y cuerpos singulares y polarizados, masculinos o femeninos, para emparejarse. Cada uno se relaciona con el otro en su propio campo de existencia. La noche es la parte que carga, o masculina, de un ciclo de onda de un solo día. El día es la mitad femenina del ciclo que descarga. La comprensión es masculina; la expansión es femenina. El espacio es masculino; la masa es femenina. El cubo es femenino; el círculo es masculino. Todas las formas, campos y dimensiones están gobernados por esta ley inmutable del equilibrio.

En los reinos humanos, la interacción consciente entre unidades polarizadas de lo uno ocurre sólo en los niveles físicos. Los celos emocionales, como tonos dulces, colores brillantes, perfumes eróticos y otras cosas semejantes, se utilizan para atraer a la otra parte de la pareja, con el objeto de llegar al clímax en una unión sexual.

En nuestro mundo humano consciente, utilizamos los cuatro niveles de impresión impacto —físico, emocional, mental e intuitivo (o del alma)— como puntos de contacto sexuales entre la mujer y el hombre. Así, somos enormemente enriquecidos en nuestra capacidad de fundirnos en varios niveles iguales.

Las almas gemelas son espejos perfectos o reflejos entre sí. Otros términos como llamas gemelas, gemelos astrológicos, espíritus hermanados, solamente añaden una gran confusión. Es fácil observar que personas con buenas intenciones, aunque ignorantes, con frecuencia han impuesto sus propias creencias limitadas sobre las diversas ciencias de la vida, destruyendo así su sentido. Muchas de las verdades bíblicas más importantes han sido deliberadamente borradas o cambiadas para aumentar el control de los diversos gobernantes o sacerdotes. La doctrina universalmente conocida del renacimiento, o de la reencarnación, fue deliberadamente eliminada de la Biblia. En otros tiempos, las «fuerzas adversas de la oscuridad», todas las que están contra la conciencia de Dios, han utilizado a gentes en la Iglesia y en el gobierno para confundir y engañar a las masas, esperando así retrasar la actual obra de «las fuerzas de la luz». Fracasarán, porque los conceptos de verdadero amor, matrimonio, parejas del alma y del Dios Único están eternamente tejidas en el tapiz de los cielos y de las tierras para que todos puedan verlo. ¡Dios siempre gana!

El momento de emparejarse con la pareja del alma es ahora. En esta nueva Era de la Voluntad dorada, el deseo urgente consciente de anhelar parejas del alma, buscar y emparejarse con los homólogos equilibrados crece diariamente. ¿Dónde, oh dónde, está ella o él, esta estrella brillante que se eleva en nuestros cielos futuros? En la noche distante de los tiempos, puede haber un alguien especial que regresa de nuevo, esperando y esperando su presencia. Usted se encuentra en una época tumultuosa, en la que todas las cosas adoptan proporciones extremas, lo viejo rápidamente se derrumba y lo nuevo surge de las cenizas. Durante un tiempo, las grandes diferencias entre estas épocas es muy pronunciada. Pero muy pronto la vieja energía familiar se desvanece y la nueva energía extraña se hace familiar para la conciencia pública. En esta Era de la Voluntad que despierta, Su Sagrada Presencia se despierta en la vanguardia de las masas y aporta una reunión masiva con nuestras parejas polares.

Nuestra alma gemela puede encarnarse físicamente o puede que no en la misma época en la que vivimos. En ese caso, puede que exista o que no una posibilidad de reunión. Si usted recuerda que no es únicamente su cuerpo físico ni esta personalidad conocida para usted en este breve tiempo de su vida actual, le llegará la comprensión. Su conexión eterna con su alma gemela está más allá del espacio y del tiempo. El tiempo en sí mismo es una enorme ilusión.

El tiempo no es lo que parece ser. Para nuestra alma y nuestro espíritu, el tiempo, tal como se entiende según las medidas terrenales, no existe. La ilusión de que los acontecimientos están separados en este día y en otro día, o en esta vida y en otra vida, ocurre únicamente en el cerebro. En el nivel del alma y del espíritu, todo el tiempo es Uno. La división del gran Ahora Eterno no existe. Por ello, siempre estamos en un estado de unión o de unidad con nuestra alma gemela en el reino del alma o del ser.

La Era de la Voluntad está aquí. Las almas gemelas y los compañeros del alma están caminando uno a uno para alinearse entre sí. Hombre y mujer están disfrutando del sagrado éxtasis del alma y espíritu (la totalidad del Yo) que impregna el núcleo del ser. Hasta que se produce esta unión dual equilibrada, la vida en solitario continúa siendo un anhelo persistente e incansable, una profunda añoranza de encontrarse con lo que desea nuestro corazón y nuestra mente.

En realidad, las almas gemelas nunca están realmente divididas. Dios es indivisible. Únicamente en los niveles de la forma parece que existen las divisiones. Lo mismo que cada cédula del cuerpo se divide y se reproduce en miles de millones de células, siguiendo cada una de ellas el patrón exacto impreso dentro de ella, así Dios dividió el Dios-Yo.

Conocerse a sí mismo es conocer el Yo-Dios. Es importante, si vamos a emparejarnos con la pareja del alma, conocernos a nosotros mismos. El «conócete a ti mismo» atribuido a los griegos se remonta a mucho antes en la Antigüedad. Los griegos simplemente retomaron la gran verdad subyacente: hasta que conozcamos nuestra propia cualidad y sustancia, es imposible conocer realmente la cualidad y sustancia de los demás, y específicamente en nuestra alma gemela.

A través de millones de años de evolución, somos ahora conscientes de «otros yo», porque primero nos hicimos conscientes del yo. Una vez

que se estableció la conciencia de sí, se hizo posible la siguiente conciencia ampliada de dualidad —del yo y de otro espejo diferente al yo, o
de la pareja del alma—. La dualidad permite perspectivas bidimensiona-
les. La realidad tridimensional surgió de la división en tres de lo UNO.
Los dos Yo-Dios sólo podía emerger del Dios único que les había prece-
dido en el tiempo, espacio y movimiento, o en un campo tridimensional.
De esta forma, empezó la Trinidad primigenia. Se estableció una
Cabeza-Dios Trina. ¿Importa el que esta Trinidad se llame Padre, Hijo y
Espíritu Santo, o Shiva, Vishnú o Brahma? ¡Ni un ápice! Los seguidores
de estas principales religiones están nombrando y definiendo su enfoque
único de esta Creación de la Trinidad primigenia. La Ley del Tres se
relaciona con el Uno No Dividido, hallándose detrás y ampliando al Dos
Dividido en muchas formas de esta dimensión (o cosmos).

Un pensamiento de ensoñación o una experiencia de ensoñación
es verdadera en el nivel del sueño. Si se considera desde una conciencia amplia física y despierta dentro de la personalidad, aparece como
algo que no es verdad. Usted sabe que sólo es un sueño, y que por ello
no tiene ninguna realidad en el plano tridimensional. Por otra parte,
desde el punto de vista de su yo que sueña, mirar atrás hacia la visión
de su conciencia en el plano físico externo, que usted y yo pensamos
como nuestra *vida real,* es para su yo que sueña el «sueño» que nuestro yo interno (o conciencia interna o alma) ¡está soñando! ¿Qué punto
de vista es correcto o verdad? ¡Ambos! Cada uno es verdad en su nivel
de existencia.

Usted es un ser, aunque también es espíritu, alma y cuerpo y ejem-
plifica la Ley del Tres. Cada uno es verdad en su nivel. Dando otro
gran salto con este pensamiento, usted también consiste en siete capas
básicas de electricidad, o siete capas de piel, como es en el Génesis.
Estos nombres varían en diferentes escuelas de pensamiento, pero en
esencia es el mismo:

1) Cuerpo físico.
2) Cuerpo emocional.
3) Cuerpo mental.
4) Alma, o cuerpo intuitivo.
5) Dios, el Cuerpo Espíritu Total Yo Soy.
6) Dios, el Cuerpo/Padre-Madre Dividido/Multiplicado.
7) DIOS, EL CUERPO Y EL ESPÍRITU NO DIVIDIDOS.

Como usted sabe, la persona media permanece identificada en los tres primeros cuerpos. Está empezando a ser consciente del alma o de la esencia intuitiva. Si la persona llama a su esencia, sobresale de toda la humanidad.

Piense simplemente en el espléndido orden de toda la creación. No hay accidentes dentro de ella. Cada mota de polvo, cada forma y cada nivel de vida está en su lugar adecuado, en el momento preciso, con el movimiento apropiado masculino o femenino. La Biología, la Geometría y las Matemáticas del universo son exactas y verdaderas. Conocer sus leyes, aunque sea sólo superficialmente por ahora, nos proporciona una gran confianza en nuestras vidas, en nuestro propio ser y en la estabilidad y eternidad del mundo, así como en la Gran Vida Una que denominamos Dios. Dentro, detrás y en el centro de nosotros.

Ningún verdadero maestro da nunca falsa información deliberadamente. Yo he presentado lo que conozco y pienso acerca de todos estos asuntos. Espero que lo estimulen a conocer y a pensar por sí mismo. Espero seriamente que encuentre pronto su alma gemela que está haciendo sonar su nota en este mismo instante. Está llamando. ¡Escuche y oirá!

Que la paloma de la paz descienda hasta las profundidades de su ser. Que pueda usted ser otra brillante estación de luz dentro del arco ascendente del Cristo en usted ¡Que pueda un hilo dorado de conciencia unirlo pronto con su propia atractiva alma gemela! Que así sea.

15

El sexo en el cosmos

La sublime caza nunca termina,
los dos son uno.
Todo está casado bajo
la Luna y el Sol cósmicos.

El sexo lo es todo en muchos más sentidos que en uno solo. Sin sexo, las parejas del alma no podrían existir y usted no podría estar aquí hoy leyendo esta frase. Esto es muy esencial. El sexo va más allá de «hacer el amor» o «pasárselo bien». Todo el cuerpo de este universo es sexual. La más pequeña partícula de masa dentro de él es sexual.

¿Por qué? ¡Esperaba que lo preguntase!

Cuando EL DIOS NO DIVIDIDO de la luz todavía magnética empezó a crear y dividió y multiplicó el universo de electricidad y de esta aparente realidad, esta división dio a luz a la polaridad padre/madre/macho/hembra. Este don de amor fue dado una y otra vez en una continua y subsiguiente creación. La energía dada al padre simultáneamente fue devuelta a la madre; de esta forma, empezó el pulso del latido del corazón del universo, de todo el cosmos que se multiplicó y dividió a continuación. Así pues, se crearon las parejas del alma.

Este intercambio sexual debe continuar incesantemente entre todas las unidades divididas y multiplicadas del Universo Eléctrico. La compresión y la expansión, el movimiento de bomba o pistón, desde la mayor estrella a la más pequeña partícula de un átomo, son simplemente interacciones de lo masculino/femenino. La compresión produce la sequedad caliente y la expansión produce la frialdad húmeda. Éstas son las dos únicas sustancias básicas en el ciclo de la creación. Sólo dos formas geométricas esenciales constituyen la base de todas las demás formas en el cosmos, el frío cubo del espacio y la esfera caliente generada a partir de la compresión. A su vez, la esfera caliente o el sol se enfría a través de la expansión, hasta formar de nuevo un cubo frío. Este ciclo de compresión/expansión se prolonga *ad infinitum*.

También quiero mencionar aquí que esta inspiración/espiración, o pliegue-despliegue, tiene lugar en la más pequeña partícula y tiene en algún punto —cuando la onda eléctrica está ampliada (en el punto alto o bajo)— un sol muy pequeño, pero real, tan real como nuestro joven Sol en los cielos sobre la Tierra.

El sexo se ha utilizado mal y se ha abusado de él en la Tierra. Ya es hora de que este principio sexual sea entendido para inspirar y beneficiar a la gente, en lugar de controlarla y de rebajarla. Con independencia de qué aspecto de la dualidad se trate —arriba/abajo, dentro/fuera, duro/blando, frío/caliente, húmedo/seco—, la polaridad masculina/femenina está igualmente dividida en ellos. Los soles calientes o las esferas incandescentes son masculinas, mientras que el frío cubo del espacio es femenino. La compresión es masculina; la expansión es femenina; el movimiento centrípeto es masculino; el movimiento centrífugo es femenino. Cualquier cosa, desde cualquier punto de vista —químico, eléctrico, óptico, el espectro de luz e incluso las ocho octavas del sonido—, puede identificarse a partir del principio sexual masculino/femenino dentro y detrás de él. Todo el cuadro periódico de elementos se conoce ahora en su mayor parte, y cualquier metal puede ser fundido o enfriado para ser transmutado en otro elemento. Cualquier átomo de existencia se compone de una onda de luz eléctrica. No hay diferencia exterior entre los átomos en una mariposa, de un ser humano o de una nube del cielo. La identidad de cualquier forma se registra y se retiene para siempre en los nueve gases inertes, dentro de las nueve octavas completas del cuadro periódico de elementos.

En nuestra Era de la Voluntad que empieza, el sexo será conocido como algo más que una palabra de cuatro letras. La plena comprensión del sexo, como base de todos los reinos de la naturaleza, hará avanzar la civilización en mil años, en el periodo de diez años. Los datos completos están expuestos en *The Pleiadian Documents*, que ya he mencionado anteriormente. Cuando diez almas iluminadas se lo hacen saber a otras diez almas iluminadas que, a su vez, se lo dicen a otras diez, *ad infinitum*, toda la población de la Tierra estará literalmente iluminada. Espero que usted descubra estas verdades y se las diga a diez almas que están despertando que usted conozca. Mientras tanto, estoy seguro de que usted estará encantado de que empiece su verdadera educación sexual.

16

La ciencia de las verdaderas parejas

No uno a uno, sino dos a dos, entrad por la puerta de mi nuevo reino.

Todas las relaciones pueden durar con tal de que se produzca un intercambio equilibrado entre todas «las relaciones» afectadas. En la nueva ciencia aquí ahora en la Tierra, la palabra clave de esa ciencia es equilibrio. La segunda palabra para ayudar a realizar la idea más plenamente es rítmico. La palabra final, que da a luz todo el proceso continuo de crear juntos local y universalmente, es intercambio. Si las ponemos juntas, tenemos intercambio equilibrado rítmico.

Estudie cada una de estas palabras cuidadosamente y vea cómo se funden perfectamente juntas. Toda la historia de la creación se contiene en ellas. Las parejas equilibradas que se pliegan y despliegan para siempre buscan unirse con la unidad. Esto no puede ser hecho en el Universo Eléctrico, únicamente en el Universo Magnético. Por ello, el péndulo continúa balanceándose sin parar. Lo masculino y lo femenino se dan entre sí con igualdad, se unen, o descansan sólo por el momento para repetir el proceso una y otra vez incesantemente.

En su vida real y práctica, su homólogo llegará a su experiencia física cuando lo desee con suficiente fuerza. Después, el que ese intercambio continúe o no y el que continúe con esa persona depende totalmente de que se dé y se reciba entre los dos con igualdad. Si una parte de la pareja en la unión es un *tomador,* entonces la unión se disolverá muy pronto, con independencia de lo atractiva y maravillosa que parezca en la superficie. La naturaleza siempre establece el mayor ejemplo de sabiduría alrededor de nosotros. La naturaleza nunca toma, únicamente da. Sólo los humanos, actuando como cocreadores iguales a Dios, toman y se destruyen a sí mismos y a la naturaleza junto a ellos. La ley del amor nunca cambia: simplemente dé lo que se le haya dado ¡y la abundancia fluirá con largueza para siempre! Considere sus propios hábitos de vida: ¿Es usted un tomador o un donador? Sea auténtico en su juicio porque usted no puede engañarse sino a sí mismo, ¡y cualquiera que engañe es el más engañado de todos!

¿Ha habido ocasiones —quizá momentos— en el día de hoy en las que ha podido recibir lo que quiere con abundancia? Cuando todo el mundo implicado en los intercambios reciba su parte equilibrada, presidirá la armonía. Lo opuesto ocurre cuando alguien está «carente», aunque no se diga nada ni se haga nada en ese momento.

Su homólogo y usted han sido atraídos juntos porque se equilibran recíprocamente. Son reflectores o espejos maravillosos el uno del otro. El crecimiento de una naturaleza personal puede ahora ser acelerado inmensamente. Lo que es importante no es lo que puede obtener de una relación, es lo que puede aportar a la misma. Si hay un desequilibrio obvio entre usted y su pareja, considere primero que es lo que *usted* puede hacer al respecto. ¡Cuando usted señala con el dedo a su alma gemela, está señalándose a sí mismo! El tiempo de la conciencia de víctimas pertenece a las eras pasadas. Éste es el conocimiento de la Era de la Voluntad. Nadie le hizo a usted Su realidad es enteramente autocreada. Si no le gusta, cámbiela. ¡Normalmente un simple cambio de actitud hace milagros!

En resumen, una verdadera pareja es la otra mitad de lo que usted es. Cuando usted dé todo de sí a su pareja, lo recibirá de vuelta. Su vida estará plenamente satisfecha. ¡Se la ganó usted mismo!

COLECCIÓN LA TABLA DE ESMERALDA

COLECCIÓN NUEVOS TEMAS

COLECCIÓN TEMAS DE SUPERACIÓN PERSONAL